TOMMY TENNEY

EN BUSCA
DEL FAVOR
del REY

EDITORIAL
UNILIT

SEPA
Spanish
Evangelical
Publishers
Association

Publicado por
Editorial Unilit
Miami, Fl. 33172
Derechos reservados

© 2005 Editorial Unilit *(Spanish translation)*
Primera edición 2005

© 2003 por Tommy Tenney
Originalmente publicado en inglés con el título:
Finding Favor with the King
por Bethany House Publishers, una división de
Baker Book House Company,
Grand Rapids, Michigan, 49516, USA.
Todos los derechos reservados.

Traducción: Cecilia Romanenghi de De Francesco
Diseño de la portada por: Lookout Design Group, Inc.

A menos que se indique lo contrario, las citas bíblicas se tomaron de la Santa Biblia,
Nueva Versión Internacional. © 1999 por la Sociedad Bíblica Internacional.
Las citas bíblicas señaladas con TLA se tomaron de la *Biblia para todos*, © 2003.
Traducción en lenguaje actual, © 2002 por las Sociedades Bíblicas Unidas.
Las citas bíblicas señaladas con LBD se tomaron de la Santa Biblia, *La Biblia al Día.*
© 1979 por la Sociedad Bíblica Internacional.
Las citas bíblicas señaladas con RV-60 se tomaron de la Santa Biblia, Versión Reina
Valera 1960. © 1960 por la Sociedad Bíblica en América Latina.
Usadas con permiso.

Producto 495386
ISBN 0-7899-1299-6
Impreso en Colombia
Printed in Colombia

CONTENIDO

COMUNÍCATE CON
TOMMY TENNEY

¿Alguna vez leíste un libro y deseaste recordar todo lo que aprendiste en sus páginas? Leer un libro y aplicar el conocimiento obtenido son dos cosas diferentes.

Deseo ayudarte a «hallar favor» mediante la aplicación de los principios que se encuentran en este libro.

A fin de ayudarte a continuar en tu travesía hacia el palacio del Rey, he creado una experiencia especial interactiva en línea relacionada con Ester. Es algo así como un mapa de ruta para guiarte a través de...

- una guía de estudio especial
- series sonoras, e
- ilustraciones gráficas de «Protocolos del palacio» que se pueden imprimir.

También se encuentra disponible un devocional sobre Ester que recibirás cada día por correo electrónico. ¡Quiero que tengas éxito!

Si no puedes acceder al sitio de la Web GodChasers.network, podemos enviarte por correo postal un CD o casete de enseñanza gratuito: «Lecciones extraídas de Ester», con un costo mínimo de envío.

Visita **www.godchasers.net** y descarga GRATIS tu lección sonora y guía de estudio. ¡Disponible solo en línea!

GodChasers.network
The ministry of Tommy Tenney
PO Box 3355
Pineville, LA 71361
1-888-433-3355 o 1-318- 442-4273
www.godchasers.net

A las que más me enseñaron:
Las *cuatro reinas* de mi vida.
No puedo imaginar la vida en mi humilde «palacio» sin ellas.
Mis tres hijas y mi esposa.
Permita el Señor que me eleve al nivel de su realeza.

CAPÍTULO I

DE CAMPESINA
A PRINCESA

*¡Qué cambio
en un solo día!*

INTRODUCCIÓN

En esta saga de vida y muerte de la Persia preislámica de Ester, te aguardan secretos divinos de transformación. Es aquí donde Dios usa a los que tienen las menores probabilidades de ser héroes para salvar a su pueblo del genocidio a manos de un loco poderoso e influyente llamado Amán. Dios no solo utilizó a los que tenían menos posibilidades de ser héroes sino que también usó armas poco convencionales.

¿Cómo esta historia del antiguo Iraq se ajusta a nosotros *hoy*? Si no fuera más que un cuento para niños, no tendría aplicación alguna; pero no lo es. ¡Esta historia tiene el sentido de un cuento de hadas!

Oculta entre los secretos del protocolo palaciego se encuentra una descripción codificada del propósito de la Biblia: *el acceso a la presencia de Dios*. El libro de Ester contiene literalmente un mapa espiritual que nos conduce a Dios. No podemos darnos el lujo de hacer caso omiso de esta historia como algo que escuchamos en la iglesia décadas atrás, ni desecharla como si fuera «un libro irrelevante del Antiguo Testamento».

Con la vida de Ester, Dios revela cómo obró mediante una joven para salvar al pueblo judío de la aniquilación total planeada por un líder extremadamente poderoso. ¡La historia de Ester revela la sabiduría eterna sobre *tu propio futuro y destino*!

La mayoría de las niñas que he conocido han soñado con convertirse en princesas (casi todos los niños también sueñan en secreto con convertirse en reyes). El sueño de «la princesa y el rey» se prolonga en la vida adulta en la mayoría de nosotros. Si no fuera así, ¿cómo se explica que el mundo contemporáneo se sintiera tan cautivado por la boda de cuentos de hadas de la princesa Diana con el príncipe Carlos años atrás?

Se estima que unos setecientos cincuenta millones de personas en setenta y cuatro países dejaron lo que estaban haciendo y se amontonaron alrededor de los televisores para mirar la ceremonia de la primera mujer inglesa en trescientos años que se casaría con el heredero del trono británico. Todos los ojos siguieron a lady Diana mientras caminaba por el pasillo de la Catedral de San Pablo en una procesión real, a fin de encontrarse con el príncipe Carlos. Según las palabras del arzobispo de Canterbury: «He aquí el argumento de los cuentos de hadas»[1].

Mujeres de todo el planeta, que hasta entonces vivían felices y satisfechas, sintieron esas punzadas conocidas de la niñez y anhelaron, una vez más, ser «la novia princesa». Muy pocas naciones o culturas modernas continúan teniendo realeza o princesas, pero las niñas *siguen* soñando con convertirse en princesas novias algún día y los niños *siguen* imaginando que se convierten en reyes.

¿Es accidental que el sueño de «la novia princesa» sea tan persistente, incluso en las sociedades contemporáneas, después que han pasado generaciones desde las últimas verdaderas realezas terrestres?

¿Será posible que nuestro Creador haya plantado este sueño en lo profundo de nuestros corazones como una semilla secreta, un sueño eterno que espera su cumplimiento en el momento adecuado? Este sueño tiene en su esencia un destino divino.

Los escritores, dramaturgos y poetas de casi todas las culturas desde el comienzo de la historia humana han jugado con el tema de plebeyas que entran en la realeza ante el capricho de un rey. Hans Christian Andersen escribió la renombrada historia para niños «El patito feo», en la cual describe la transformación milagrosa de un «patito feo» en lo que siempre había tenido que ser, un hermoso cisne.

¿Cuántos de nosotros todavía podemos recitar el argumento y la historia de cómo Cenicienta pasó de ser la pobre hermana menor a reina de la tierra?

La prueba de la existencia de este flirteo multigeneracional con los cuentos de hadas tiene su base en que estas historias siguen siendo *best sellers*. Es asombroso que un tema tan antiguo siga teniendo tanto interés, ya sea en forma de Cenicienta, del rey Arturo o de la producción contemporánea de Broadway de *Ana y el rey*.

La elevación sensacional de una persona común a la realeza enciende los sueños de potencial que existen en cada uno de nosotros.

NUESTRA FASCINACIÓN CON
LA EMINENCIA ES COSA DE DIOS

Es probable que la más intrigante de estas transformaciones de cuentos de hadas se encuentre en el relato bíblico de Ester. Por cierto, su historia es mucho más antigua y poderosa que cualquiera de las transformaciones más recientes de los cuentos.

Es la historia verídica de una joven campesina judía a la que la llevan, por la puerta de atrás, al palacio del rey de Persia, se gana su corazón, se convierte en reina en contra de todos los pronósticos y salva a su nación. El relato bíblico de Ester me ha convencido de que la fascinación que tenemos a lo largo de toda nuestra vida con la transformación mediante el amor y la elección es «cosa de Dios».

Si la historia de Ester representa a una campesina que se convierte en princesa, la historia de su predecesora representa la caída de una majestuosa reina persa que desciende a plebeya (¡y quizá en una muerta!).

Mucho antes de que Ester ascendiera de repente a princesa y luego a reina de Persia, otra reina, llamada Vasti, cayó en desgracia.

Al séptimo día, como a causa del vino el rey Asuero estaba muy alegre, les ordenó a los siete eunucos que le servían [...] que llevaran a su presencia a la reina, ceñida con la corona real, a fin de exhibir su belleza ante los pueblos y sus dignatarios, pues realmente era muy hermosa. *Pero cuando los eunucos le comunicaron la orden del rey, la reina se negó a ir.* Esto contrarió mucho al rey, y se *enfureció*[2].

EL LUGAR DE VASTI
SE LE DIO A OTRA

Nadie sabe en realidad por qué la reina Vasti se negó a obedecer la orden del rey Asuero. Tampoco sabemos lo que le sucedió. El relato en el libro de Ester solo dice que no se le permitió nunca más venir delante del rey y que su lugar se le dio a otra mejor que ella[3].

Muchos creen que a la reina Vasti la degradaron y deportaron o le permitieron quedarse fuera de la vista en el área para mujeres del palacio. Algunos creen que la ejecutaron enseguida del mismo modo que muchos otros, de manera sumaria, los «eliminaron de la vista de Asuero» por ofender al que se había autoproclamado «Señor de Señores».

Tal vez le pusieron una capucha sobre la cara, como los guardaespaldas del rey hicieron con Amán. (La Biblia dice que la suerte de Amán, el enemigo de Mardoqueo y de los judíos, se selló de repente: «Instantáneamente *le cubrieron el rostro a Amán con el velo de los condenados a muerte*»[4].

No es extraño, incluso en las ejecuciones modernas, que se coloque una capucha sobre el rostro del acusado. En la antigua Persia, esto ocurría de inmediato después de la sentencia. Quería decir que tu suerte estaba sellada: nunca más volverías a ver el rostro del rey.

EN BUSCA DEL FAVOR DEL REY

Este mismo rey, algún tiempo más tarde, sostendría la suerte de Ester y de todo su pueblo suspendida del cetro de oro que tenía en su mano. Varias veces en la historia de Ester vemos que el rey Asuero ordenó la ejecución de enemigos y conspiradores sediciosos sin pensarlo dos veces.

Si consideramos el patrón de conducta del rey de Persia, es incluso más asombroso que la reina Vasti desafiara su autoridad. En realidad, lo que hizo fue más que negarse simplemente al pedido de su esposo. Se mofó en público de su autoridad frente a los principales comandantes del ejército, a los funcionarios políticos y los ciudadanos líderes de Persia.

Peor aun, lo hizo delante de todos durante el grandioso punto culminante de los ciento ochenta días de banquete y de concilio para conseguir apoyo para la guerra en contra de los griegos. (En lo personal, estoy bastante seguro de que los siete consejeros principales del rey Asuero eliminaron con rapidez y chovinismo a la reina Vasti a fin de dejar sentado un ejemplo antes de que el rey entrara en razón).

Este era el escenario cargado de peligro en el que entraría la joven campesina Ester. Su ingreso al palacio la colocaría en un entorno en el que la menor palabra la conduciría a la mayor humillación o *eminencia*. La historia de Ester es *más* que un cuento palaciego de intriga, secuestro, complots de asesinatos, genocidio y romances imposibles al borde de la vida o la muerte.

LAS POSIBILIDADES DE UN ASCENSO

Una vez más, Dios revela cómo obró mediante una joven para salvar al pueblo judío de la aniquilación total planeada por un líder extremadamente poderoso. La historia de Ester revela la sabiduría eterna sobre *nuestro propio futuro y destino*.

¿Cómo las personas de destino se transforman de su estado de «campesina» al de una novia real sin mancha ni arruga? Quizá la respuesta se encuentre en la búsqueda de una segunda pregunta: ¿Cómo es posible que una simple pasión de campesina por el rey la transformara en princesa?

Las respuestas a las *dos preguntas* se encuentran ocultas en el libro de Ester. Si vamos a ser la novia del Rey, tal vez debamos tomar algunas notas del milagro de Ester que pasó de los harapos a la opulencia, de la pobreza a la condición de princesa[5].

La mayoría de nosotros deseamos *ser* más de lo que somos y *vivir* mejor de lo que vivimos en este momento. Muchos sabemos en teoría que hacemos gala de un rango real, pero actuamos más como alguien en casa, en los alrededores comunes del mundo. Con frecuencia a la gente le resulta muy difícil ver alguna diferencia entre nosotros y los que no pretenden conocer a Dios.

La genialidad del libro de Ester es su revelación de *la manera en que Dios vence la debilidad y el fracaso humanos a fin de elevar nuestra posición y rango hasta que lleguemos a la sala de su trono.* Ester miró al rey a los ojos, atrapó su corazón y halló su favor. Entonces la transportaron de la sala de las mujeres a la casa del rey como su reina.

EL MAL SIEMPRE LE HA TEMIDO A LA HISTORIA DE ESTER[6]

Hasta Hitler y los comandantes de los campos de concentración nazi le temían al poder del libro de Ester. Es más, lo prohibieron en sus campos de concentración. Un escritor destacó:

Los antisemitas siempre detestaron el libro y los nazis prohibieron su lectura en los crematorios y en los campos de concentración. En los oscuros días de su muerte, los judíos presos en Auschwitz, Dachau, Treblinka y Bergen-Belsen escribieron el libro de Ester de memoria y lo leían en secreto durante el Purim. Tanto ellos como sus brutales enemigos entendían el mensaje. Este libro inolvidable enseña que la resistencia judía a la aniquilación, entonces como ahora, representa el servicio a Dios y la devoción a su causa. En todas las épocas, *los mártires y los héroes, así como los hombres y mujeres comunes, han visto en él algo más que un simple registro de la liberación pasada, una profecía de la salvación futura*[7].

El mal *todavía* le teme hoy en día a la historia de Ester porque *revela la solución divina para la confusión humana.* Esta breve historia contiene secretos para salvar vidas rotas, destinos hechos añicos y sueños caídos.

Puedes sentirte atrapado en el reino de tu lugar de trabajo, bajo tu propio «rey» tirano. ¿Quién sabe si no llegaste a un lugar así «para un momento como este»? La revelación de Ester puede preservarte, sí, pero también puede «presentarte» y cambiar tu futuro.

Satanás tiene sus propios campos de concentración: practica su propia forma de limpieza étnica. Desea exterminar del planeta a todo hijo del Rey, junto con su descendencia, así que sigue prohibiendo el mensaje de Ester a cuantos les sea posible. La historia de esta mujer es una profecía de la condenación futura de los planes de Satanás. También es una profecía de transformación y elevación divina para todos los que aprenden sus lecciones.

¿FUE LA BELLEZA DE ESTER, O SU SECRETO, O LAS DOS COSAS?

Entonces, ¿por qué una joven campesina de una nación en exilio se escogió como reina del poderoso rey de Persia? ¿Por qué Asuero pasó por alto a nada menos que mil cuatrocientas cincuenta y nueve *candidatas* de otras naciones y de las mismas ciento veintisiete provincias de Persia para elegir a Ester?[8] ¿Fue tan solo por su belleza *o ella conocía algún secreto*?

¿Es posible que Dios orquestara la vida de Ester a fin de revelar lo que puede suceder en una intersección divina *donde el potencial se encuentra con el protocolo*? ¿Quién sabe lo que puede pasar en tu vida cuando la preparación se cruza con el protocolo y nace el destino?

De acuerdo con la tradición rabínica, Ester fue una de las cuatro mujeres judías más hermosas de todos los tiempos (las otras eran Sara, Rajab y

Abigaíl)[9]. El rey Asuero tenía acceso ilimitado a las mujeres más hermosas del mundo y su extenso harén lo probaba.

Se necesitaba más que belleza externa o atractivo sensual para cautivar a un hombre así. Asuero hubiera podido tener a Ester como una concubina o una esposa secundaria, sin embargo, hubo algo en ella que lo atrajo al punto del compromiso.

Los reyes persas, por lo general, seleccionaban a sus reinas de las familias *persas* de la realeza y, en algún caso, de las familias de los siete principales consejeros del rey[10]. Podían tener todas las esposas secundarias y concubinas que desearan, sin restricciones de nacionalidad o religión, debido a que la descendencia de estas esposas secundarias no tenía derecho de acceder al trono.

Ester era una extranjera que no nació de la nobleza, ¡sino en medio de un pueblo exiliado! No tenía ninguna de estas cosas a su favor, pero de alguna manera ganó el corazón y el oído del rey a pesar de los prejuicios y las tradiciones persas[11]. ¿Alguna vez te has sentido como un forastero? ¿Cuál era el secreto de Ester? Si a ella la eligieron, ¡también te pueden elegir a ti!

GRITOS EXIGENTES Y PETICIONES FORMALES

Nunca subestimes el potencial de un encuentro. Nunca subestimes el potencial de un acto de servicio o de un encuentro de adoración. Unos pocos instantes en la presencia del Rey pueden cambiar tu destino. Bastó solo *una noche con el rey* para convertir a una campesina en princesa. ¡Una noche con el rey lo cambia todo!

Sin embargo, recuerda que Ester pasó todo un año de preparación intensa para esa única noche de encuentro con el destino. ¡Todo un año preparándose para una noche![12] (¿Alguna vez te has dado cuenta del tiempo que le lleva a una joven prepararse para «salir una noche»? A menudo la importancia de la «noche» se puede medir por el tiempo que requiere la preparación).

15

Siempre me asombro cuando veo en las noticias o en el artículo de una revista la descripción de los preparativos que hacen las ciudades y los gobiernos cuando el presidente de los Estados Unidos anuncia su venida. No importa si se trata de Boston, Tulsa o Berlín: *¡Los preparativos reflejan la importancia de la visita!*

La Biblia está llena de romances espectaculares. Aprendemos sobre la preparación mediante los romances, algunas veces dolorosos, ordenados por Dios para los patriarcas: Abraham, Isaac y Jacob.

Aprendemos aun más, a través de los matrimonios de Salmón con Rajab (que antes fuera la prostituta de Jericó) y de Booz con Rut (la viuda moabita y nuera de Noemí). Estos dos matrimonios entre judíos y mujeres no judías parecían ir directo en contra de las normas aceptadas. Sin embargo, fueron uniones que Dios dirigió, pues las dos parejas tuvieron hijos que pertenecieron al linaje directo, el árbol genealógico, de Jesucristo[13].

David y su hijo Salomón tuvieron amores espectaculares y funestos fracasos matrimoniales. Muchas veces, sus vidas se destacan y se usan como ejemplos extravagantes tanto del verdadero romance como de la devastación que produce el pecado en los sucesos futuros. Sin embargo, hasta estas historias palidecen comparadas con el romance más sensacional de todas: la historia de Ester.

¡Una campesina y un rey! Tal vez sea un paralelo de Cantares de Salomón, poema bíblico que describe cómo un rey queda flechado por la belleza de una sulamita. (Muchos eruditos y líderes cristianos creen que también es una descripción profética del amor ferviente del Rey de reyes por su esposa).

En cualquiera de los casos, la historia de Ester es más que un relato épico romántico. Es un relato espiritual sobre el destino que puede ayudarnos en el día actual: *La preparación y la transformación nos llevan a la eminencia y son un camino hacia el propósito.*

Solo imagina la transformación requerida de esta joven judía al entrar al centro de poder del Imperio Persa.

INCOMPATIBLE CON
LA GLORIA DEL REY

El primer problema que se le presentó a Ester, y el primero que se nos presenta a cualquiera de nosotros que desee tener intimidad con la divinidad, es nuestra *incompatibilidad con la gloria del Rey*. En lo que concierne al Rey celestial, esta incompatibilidad se arraiga sencillamente en quiénes somos. El mejor «campesino» de entre nosotros no es adecuado para el palacio de su presencia.

Los atavíos confeccionados con nuestro propio sentido de la moralidad, nunca son comparables a las vestiduras de rectitud de Dios en Cristo. (Estas vestimentas costosas no se encuentran en los mercados de artículos con descuentos de los hombres. Solo hay un lugar que tiene las vestiduras de justicia: «la boutique de la sangre inocente» que se estableció en la cruz de Cristo).

La campesina Ester era del todo incompatible con la riqueza y las deslumbrantes galas del palacio de verano del rey Asuero en Susa (ciudad situada en el sudeste de la actual Irán; Babilonia, donde al parecer creció Mardoqueo como judío exiliado, se encontraba a ochenta kilómetros de la moderna Bagdad en Iraq).

Cuando Alejando Magno, el guerrero griego, conquistó al fin a Persia y entró a Susa (quizá a poco más de un siglo de los tiempos de Ester), quedó deslumbrado ante la riqueza y la magnificencia de la nación.

Según lo que dice el historiador griego Heródoto, Alejandro encontró mil doscientas toneladas de oro y plata en lingotes junto con doscientas setenta toneladas de monedas de oro acumuladas por los reyes persas. Esto era solo una parte de lo que había allí en los días del rey Asuero, mucho después de que los tesoros persas se consumieran debido a numerosas guerras infructuosas y proyectos de construcción abandonados[14].

A esta increíble mezcla de poder absoluto, política internacional e inimaginables riquezas es donde entra la joven campesina judía llamada Jadasá (o «Ester», como luego se conocería) con el destino pisándole los talones. Por decirlo con amabilidad, por más *refinada* que fuera Jadasá, ni siquiera era lo recomendado para el nivel que esperaba y que *exigía* el rey de Persia de sus asistentes.

Las Escrituras no dicen de manera explícita que Ester fuera una campesina, pero a modo de ilustración, podemos decir que para los sirvientes y funcionarios de la corte del rey Asuero, Ester entró en el palacio con olor a alguien que acaba de salir de un establo y que no es muy dado a los baños.

LO MEJOR DE ESTER
NO ERA LO BASTANTE BUENO

Sencillamente, Ester no era aceptable tal como era. No porque estuviera sucia ni porque oliera mal, sino porque *lo mejor de ella no era lo bastante bueno* para el rey. Lo mismo sucedía con *cada* candidata que se preparaba para pasar una noche con el rey. Para entrar en la atmósfera aprobada del palacio, ¡debes tener olor «celestial»! No puedes tener olor terrenal.

Entonces los ayudantes personales del rey hicieron esta propuesta: «Qué se busquen jóvenes vírgenes y hermosas para el rey. Que nombre el rey para cada provincia de su reino delegados que reúnan a todas esas jóvenes hermosas en el harén de la ciudadela de Susa. Que sean puestas bajo el cuidado de Jegay, el eunuco encargado de las mujeres del rey, y que se *les* dé un tratamiento de belleza. Y que reine en lugar de Vasti la joven que más le guste al rey». Esta propuesta le agradó al rey, y ordeno que así se hiciera[15].

Parece muy sencillo decir: «Y que se *les* dé un tratamiento de belleza». Aunque esta sea una oración corta, no permitas que te engañe. Al avanzar en la lectura del relato bíblico, veremos que este «tratamiento de belleza» ¡les llevó doce meses!

¿Cuánto tiempo pasamos en «tratamientos de belleza» para nuestros encuentros con el Rey? ¿Entiendes de verdad que Ester dedicó doce meses (sí, *doce* meses) a un intenso esfuerzo a fin de prepararse para una noche? Recuerda, ¡un año preparándose para una noche! ¿Cómo, o mejor dicho, por qué pasas doce meses preparándote para un encuentro?

A LA NOVIA LA ARREGLABAN DE UNA MANERA HERMOSA...

Mientras caminaba por el vestíbulo de un hotel ubicado en una hermosa isla del Caribe donde me encontraba ministrando una noche, vi una boda al aire libre que se desarrollaba en ese increíble escenario tropical. La novia estaba arreglada de una manera hermosa con un vestido blanco brillante, con joyas y adornos escogidos con esmero. Cada cabello estaba hermosamente acomodado en su lugar a pesar de la constante brisa tropical.

Era *su* día, y todos en la gran fiesta de boda lo sabían, en especial el novio, que vestía de manera impecable. Nunca he experimentado las alegrías y las luchas de ser una novia, pero estoy feliz de decir que experimenté el gozo de ser el novio de la novia de mi juventud. Todo lo que sé sobre las experiencias de una novia lo he aprendido de mi esposa y de la expectativa que proviene de tener tres hijas. En realidad, hasta cierto punto ya *han* comenzado la planificación y los preparativos requeridos para el día de sus bodas.

Si fuiste una novia, puedes enumerar con gran detalle todo el tiempo que te llevó prepararte para ese día especial, el día que crearía el marco para el resto de tu vida. Estoy casi seguro de que no te levantaste una mañana y simplemente dijiste: «Me daré una ducha y tomaré alguna prenda de mi armario. Creo que tengo todo listo para esta tarde».

¿Tengo razón o todo esto es un mito? El poder y el valor del día de la boda en el corazón de una mujer están íntimamente relacionado con la preparación que se le dedica, sin importar cuál sea el presupuesto disponible. Ya sea que una mujer se confeccione su propio vestido, reforme el de su madre o lo compre en una tienda cara de atuendos para novias, debe ser el vestido *adecuado*.

ALGO TE CUESTA PREPARARTE

Hasta la presión del protocolo adecuado y de la etiqueta aceptable pesa sobre la novia ruborizada. Todos los que participan de la boda (ya sea que se trate de una sola dama de compañía con un padre lloroso o de un pequeño ejército de cuarenta participantes) deben estar en orden, con tiempo y con las ropas apropiadas para la boda. Si el ensayo no te minó las fuerzas, ¡es probable que lo haga la recepción! *Algo te cuesta prepararte para el día y la noche más significativos de tu vida*. (Si te abrumó el ensayo, ¡es probable que te abrume la boda).

La Biblia dice que Ester pasó doce meses preparándose para una noche con el rey de algunas maneras exclusivas:

> Ahora bien, para poder presentarse ante el rey [Asuero], *una joven tenía que completar los doce meses de tratamiento de belleza prescritos: seis meses con aceite de mirra, y seis con perfumes y cosméticos*[16].

La mayoría de nosotros deseamos pasar por alto los detalles menores de estos pasajes, pero tal vez aquí se encuentre una lección de un perfumista que debamos aprender. «Las moscas muertas apestan y echan a perder el perfume»[17]. Una mosca en el ungüento para la preparación de una boda o de un culto puede causar resultados desastrosos en la corte del rey. Belcebú, el señor de las moscas, siempre tratará de estropear el aceite de la unción[18].

Ester pasó los seis primeros meses de su estadía en el palacio sometida a «preparativos» con la utilización de aceite de mirra. Al parecer, durante los otros seis meses, siguieron los mismos procedimientos, pero esta vez se utilizaron perfumes (o especias dulces).

COMPRAS UN FRASCO Y TE SALPICAS UN POCO, ¿VERDAD?

Tenemos un serio impedimento cuando tratamos de entender la importancia de la preparación al enfrentarnos a las reglas del Medio Oriente.

La mayoría de los cristianos occidentales hemos crecido ignorantes del protocolo del perfume en las culturas del Medio Oriente. No entendemos toda la importancia de una fragancia. Compras un frasco, te salpicas un poco y sigues tu camino, ¿verdad?

Durante un viaje que hice hace poco a Inglaterra, mis anfitriones me alojaron en un hotel muy bonito de Londres que parecía estar lleno de huéspedes. Lo sé porque me trasladaron a otra habitación para alojar a algunos huéspedes que hicieron sus reservaciones con anterioridad.

Resultó que el hotel estaba lleno de huéspedes de Arabia Saudí y de Kuwait que habían venido para algún tipo de encuentro. Para ser sincero, me sentía como un extraño deambulando por un hotel exclusivo del Medio Oriente. A todas partes que mirabas, había huéspedes con túnicas flotantes acompañados por mujeres con velos y todo un séquito de familiares, empleados y personal de servicio del hotel.

El solo hecho de caminar por los pasillos de aquel lugar fue una experiencia única. Los hoteles antiguos, aun los exclusivos y exóticos, muchas veces huelen a humedad y a moho. Esto no sucedía en este. ¡El olor que había era maravilloso! La única manera en que puedo describirlo es diciendo que todo el lugar estaba inundado con la dulce fragancia de flores exóticas. ¡Era increíble!

Cuando entré a un ascensor del hotel para subir a mi habitación, todo el poder de la fragancia inundó en un instante mis sentidos. Entonces me di cuenta de que no era el hotel en sí el que olía bien. Cuando subí al ascensor, ya había dos mujeres orientales con sus velos y sus esposos. *Ellos* eran la fuente de la indescriptible fragancia. Cuando los huéspedes con sus velos y sus túnicas se bajaron del ascensor, miré a una empleada del hotel (que se quedó en el ascensor conmigo) y le hice un comentario sobre el aroma. (No pude contener el deseo de satisfacer mi curiosidad):

—Ese aroma es increíble.

—¡Tiene que ver lo que es dentro de sus habitaciones! —me contestó.

—¿A qué se refiere?

—Traen las fragancias del Medio Oriente a sus habitaciones —dijo—. Las mujeres guardan sus ropas en un pequeño artefacto enrejado antes de ponérselas. Las bandejitas con incienso perfumado que arden debajo de ese artefacto hacen que la fragancia sature sus ropas mientras se bañan o se ocupan de otras obligaciones.

No era para menos que la maravillosa fragancia del incienso estuviera impregnada en los pasillos, en el vestíbulo y los ascensores del edificio. La fragancia sencillamente va con los que la llevan. Este ejemplo moderno nos prepara para entender mejor el papel que jugaban las fragancias y el incienso en los harenes y en los preparativos nupciales de los antiguos reinos del Medio Oriente.

LA FRAGANCIA SATURA LA PIEL Y LAS ROPAS

Desde hace tiempo se sabe que los aceites perfumados y las especias eran las principales exportaciones de Persia. Lo que no se sabe muy bien es cómo usaban estas fragancias y especias los habitantes de la antigüedad. Ya sabemos que era común que se quemaran especias en rituales religiosos. Sin embargo, también parece que las mujeres persas colocaban en pequeños quemadores cosméticos los aceites de las rosas, los clavos de olor y la esencia del almizcle sobre carbones para perfumarse la piel y la ropa.

Lo lograban «poniéndose desnudas en cuclillas» sobre un quemador cosmético, con una manta que las envolvía como si fuera una tienda, formando básicamente una sauna de perfumado personal[19]. Sospecho que Ester aprendió estos secretos de belleza persas de Jegay (el mayordomo del rey) y sus propias sirvientas. (Tal parece que la cultura del Medio Oriente fue, sin duda, el lugar de nacimiento de la perfumería).

LA MIRRA ES UNA HIERBA
AMARGA CON OLOR DULCE

La Biblia dice que los seis primeros meses de su estancia en el palacio del rey, Ester los pasó preparándose con un *régimen de uso del aceite de mirra*. La mira es la resina perfumada de una planta con propiedades astringentes (lo que quiere decir que estrecha el tejido [orgánico] blando y restringe el flujo de los fluidos del cuerpo). Se considera una *hierba amarga*, pero casi siempre se combinaba con la fragancia más dulce del incienso en diversas fórmulas.

La mirra se incluía en las dos preparaciones santas que se usaban en el culto y la ministración a Dios en el tabernáculo de Moisés. Se utilizaba tanto en el *aceite santo de la unción* como en la mezcla más espesa que se quemaba delante del Señor como *incienso santo*. Ambos preparados se consideraban tan santos y sagrados (separados exclusivamente para Dios) que cualquiera que los usara para usos personales o profanos (corrientes) se enfrentaba a la pena de muerte.

Es notable que la mirra aparece al menos cinco veces en la vida de Jesús.

La primera, en su nacimiento, los sabios del Oriente, que vinieron a ofrecerle regalos al Rey de los judíos recién nacido, le trajeron mirra preciosa[20].

La segunda, cuando a Jesús lo ungieron por primera vez, la «mujer pecadora» sin nombre usó *muron*, una forma destilada y costosa de mirra presentada en gotas o ungüento, para *ungir* los pies de Jesús junto con sus lágrimas en la casa de Simón, el fariseo. (Este es uno de los cuadros más puros de la *amargura* del arrepentimiento que lleva a la *dulzura* del perdón y de la aceptación divina)[21].

La tercera vez, la segunda ocasión en que ungieron a Jesús, María, la hermana de Marta, ungió a Jesús de nuevo con muron o (mirra) en Betania, en la casa de Simón el leproso, pero esta vez ungió su cabeza. Jesús les dijo a los discípulos que María lo había ungido para su sepultura. Una vez más, la mirra sirvió como el aceite de la unción de la *amargura*[22].

La cuarta vez, cuando Jesús murió, los soldados romanos mezclaron la mirra con una bebida y se la ofrecieron en la cruz justo antes de morir (quizá debido a sus cualidades astringentes y medicinales). La mirra se asocia muchas veces con el arrepentimiento y la santificación, o con ser apartados para Dios.

¿Por qué Jesús no aceptó la bebida que contenía mirra cuando estaba en la cruz? ¿Sería que su misión era cargar sobre sí con todo el pecado, en convertirse por completo en pecado? El arrepentimiento hubiera anulado su misión. Como el Cordero de Dios sacrificado, su propósito era recibir todo el castigo de nuestro pecado y sufrir la separación del Padre. Por eso gritó al final: «Dios mío, Dios mío, ¿por qué me has desamparado?»[23].

Por último, en el entierro de Jesús, la mirra fue una de las fragancias y especias elegidas para envolver el cuerpo del Señor luego de su muerte[24].

También la mirra era un ingrediente principal en el aceite santo de la unción con el cual se untaban a los sacerdotes, a los instrumentos, a los muebles y a otras personas como un acto de santificación y separación para Dios. La mirra también se quemaba como parte de la fórmula santa del incienso, se utilizaba en baños de inmersión, se ofrecía en bebidas para la purificación interna y hasta se comía con propósitos purificadores.

Esta fragancia impregnó toda la vida de Jesús, desde su nacimiento hasta su sepultura, ¡y hasta adornó la tumba donde resucitó de los muertos! De la misma manera, la fragancia del arrepentimiento y la pureza tendría que impregnar cada aspecto de nuestra vida. Los paralelos entre la preparación de Ester y el trayecto del Señor hacia «la cruz del destino» son sorprendentes[25]. La aplicación espiritual casi parece ser que la fragancia de la unción no es opcional. ¡Debes tener mirra!

ESTER LITERALMENTE «DESTILABA» LA FRAGANCIA

Los primeros seis meses de la preparación de Ester hablan de limpieza, purificación y remoción de todas las toxinas y agentes degradantes, tanto por dentro como por fuera. Al bañarse constantemente y aplicarse aceite con mirra, la piel se limpiaba, suavizaba y purificaba. Además, hacía que la fragancia penetrara en lo profundo. En otras palabras, Ester literalmente «destilaba» la fragancia.

Si deseamos vivir en la presencia de Dios, debemos hacer que el arrepentimiento forme parte de nuestra rutina diaria y de cada momento. Deberíamos inspirarlo y luego exhalarlo en oración, deberíamos frotarlo en lo profundo de nuestro ser a fin de quitar impurezas y suavizar nuestras actitudes endurecidas, y deberíamos ingerirlo para limpiar nuestro interior.

El papel de la mirra en los sacrificios del Antiguo Testamento y en la vida, muerte y sepultura de Jesús son un cuadro vívido de darle muerte al viejo hombre, quitar las impurezas, purgar los recovecos internos y apartarnos de viejos hábitos y modos de pensar, de viejas prácticas y limitaciones. Nos habla de cambio, limpieza y santificación como preparativos para comparecer ante el Rey de reyes.

Después de la primera mitad del año de limpieza y purificación (con mirra), Ester siguió con *otro* período intensivo de seis meses de inmersión y saturación con «especias dulces». Es casi seguro que incluyó *incienso* y quizá, también, uña aromática, estacte, gálbano, casia y canela.

¡La adoración nos cubre con la fragancia del Rey! Es más, el verdadero propósito de sumergirnos en el aceite de la unción (el arrepentimiento) es camuflar cualquier olor de la carne. Es lo que le permite al Rey estar en la misma habitación con nosotros.

> ALGUNAS VECES, LA ADORACIÓN LIBERA SU FRAGANCIA MÁS DULCE CUANDO LA OFRECEMOS DESDE LOS FUEGOS DE LA PRUEBA Y LA ADVERSIDAD.

A diferencia de la mirra, *el incienso solo libera su fragancia al calor del fuego*. Se utilizaba (junto con los otros ingredientes especificados) tanto en la preparación del aceite sagrado de la unción para los reyes y los sacerdotes como para el incienso que se quemaba como un sacrificio a Dios en el templo judío.

Algunas formas de adoración solo liberan su fragancia más dulce hacia Dios cuando se ofrecen desde los fuegos de las pruebas y la adversidad. El sacrificio de alabanza que se ofrece en tiempos de dificultad es especialmente dulce y agradable para el Rey de reyes. Esta adoración proviene de una postura de confianza y fe en vez de una de sospecha y duda.

En el tabernáculo y en el templo del Israel antiguo, el humo de este incienso santo traspasaba el velo de separación como una dulce ofrenda de alabanza a Jehová Dios, y opacaba de la vista la «carne» de los sacerdotes que ministraban.

Esto nos habla del regreso de la alabanza y la adoración puras al lugar de prominencia que una vez se viera en el tabernáculo de David y en el templo de Salomón. Nuestra carne pecadora queda cubierta por la sangre del Cordero y por la nube de fragancia dulce de nuestra adoración que llena la habitación. Aquí es donde desciende la presencia de Dios como respuesta a un sacrificio agradable.

Ester comenzó como una campesina huérfana, pero a través de su perseverancia en la preparación, de su belleza sin igual al ministrarle al rey y de su sumisión en la intercesión, orquestó la liberación de toda una nación.

Nunca subestimes el potencial de un servicio. *Nunca subestimes el potencial de un encuentro*. Nunca subestimes el potencial de una mujer ni de un hombre. No acortes el camino tomando un atajo en el proceso de preparación. ¡Sumérgete en el aceite! ¡Mezcla la mirra del arrepentimiento y de la limpieza! Sumérgete sin inhibiciones en las dulces fragancias del culto, la adoración y la ministración prolongada a Dios.

Quién sabe, la liberación de tu familia, de tu iglesia o de tu nación quizá vengan como resultado de una noche con el Rey.

El favor del Rey puede cambiar tu destino. Nunca subestimes lo que puede hacer una noche en la presencia del Rey. ¡Una noche con el Rey lo cambia todo!

PROTOCOLO del PALACIO

I. NUNCA SUBESTIMES EL POTENCIAL DE UN ENCUENTRO.

Hasta treinta segundos en la presencia manifiesta de Dios pueden cambiar tu futuro. Ester tenía una cita a ciegas con el destino, ¡tú también la tienes!

Algunas veces lo único que necesitas es una «inmersión» más prolongada en el aceite santo de la unción a fin de prepararte para tu cita divina. ¡Tienes una cita con el Rey que cambia el destino!

CAPÍTULO 2

¿EL REY O EL REINO?

¿El palacio o su presencia?

El dinero, la fama y el temor quizá motiven a la gente a cometer locuras. También existe otro legado en la historia humana con otra triste motivación que se llama «lujuria». Algunos venderían a sus madres o a sus hijos con tal de obtener seguridad financiera. Otros sacrificarían su reputación y cada pizca de autoestima por pasar un minuto en el centro de la atención nacional o por unos momentos de placeres robados en la cama de otra persona. Conozco a un hombre que renunció a la herencia de toda su vida por un plato de lentejas.

> **TODO LO QUE TE IMPRESIONA, TE ATRAE. TODO LO QUE BUSCAS, SE CONVIERTE EN TU PROPÓSITO.**

Todo lo que te impresiona, te atrae. Todo lo que buscas se convierte en tu propósito. ¿Qué buscas, al Rey o el reino?

Es lógico que la mayoría de las jóvenes que llevaron al concurso de belleza más importante del mundo antiguo quedaran enamoradas del palacio del rey. A la mayoría le resultaría difícil culparlas por esto.

En la ciudad de Susa estaba la capital veraniega de Persia bajo el reinado de la familia del rey Asuero. La Biblia nos da una toma detallada de los jardines que rodeaban al palacio.

Este banquete tuvo lugar en el jardín interior de su palacio, el cual lucía *cortinas blancas y azules, sostenidas por cordones de*

lino blanco y tela púrpura, los cuales pasaban por anillos de pla-
ta sujetos a columnas de mármol. También había sofás de oro y
plata sobre un piso de mosaico de pórfido [roca compuesta por
cristales feldespatos incrustados en una masa de color rojo oscuro
o púrpura «mármol rojo»[1]], mármol, madreperla y otras piedras
preciosas. *En copas de oro de las más variadas formas* se servía el
vino real, el cual corría a raudales, como era de esperarse del rey[2].

Si esto no es más que la simple descripción del «patio» del rey, ¿te imaginas lo que serían la sala del trono y el palacio? Hoy en día, demasiados
cristianos se enamoran de las exquisitas galas y los beneficios terrenales
del reino de Dios, en lugar de enamorarse de su Rey. Ya sea que echemos
una mirada al palacio del rey Asuero de la antigua Persia o a los que asis-
ten a las reuniones de las iglesias en la cultura contemporánea, muchos
tenemos la tendencia a quedarnos tan embelesados con la fastuosidad de
la mansión que obviamos al hombre que se encuentra detrás de ella. Pasamos por alto el rostro que está detrás del lugar.

En la sociedad, algunas personas se sienten atraídas hacia el poder y el
prestigio del «trono». Gastan sus energías para recibir toda dádiva posible
de quien tiene el poder. La consigna a ambos lados de la ecuación podría
decir: «Toma lo que tienen antes de que tomen lo que tú tienes».

A menudo la situación en la iglesia no es mucho mejor. ¿Cuántas veces
nos balanceamos hacia un lado y hacia el otro mientras tratamos a Dios
como a un Padre amoroso en un momento (lo cual es bueno) y como la
Suprema Máquina Tragamonedas el resto del tiempo (lo cual no es bueno)?

LAS MONEDAS QUE ECHAMOS A MONTONES EN LA MÁQUINA TRAGAMONEDAS ESPIRITUAL

«Vamos a orar» como si echáramos monedas en la Suprema Máquina
Tragamonedas, esperando que Él nos lance ganancias, y al mismo tiempo, sentimos envidia del resto de los apostadores espirituales y de sus
«dones».

No tenemos necesidad de hacerlo ni razón para justificar las acciones y la moral del histórico rey Asuero. No era cristiano, no era judío y ni siquiera era «bueno», por más que tratemos de llevar al límite nuestra imaginación. Era un gobernante cruel y poderoso en una época brutal y violenta. Sin embargo, este rey persa representaba en algunos aspectos la riqueza eterna del Rey de reyes (*en forma simbólica*).

El rey Asuero debe haber visto pasar frente a la sala de su trono a toda clase de diplomáticos caprichosos, de políticos quejumbrosos y de príncipes serviles. Debemos suponer que dejaban montañas de regalos interesados en el tesoro de Susa. Hasta el mundo de los antiguos paganos entendía lo que pocos han captado en nuestra cultura: *Nunca vayas delante de un rey con las manos vacías. Siempre debes llevar un regalo.* En realidad, ¡el regalo será lo que te permitirá entrar![3]

Desde el comienzo de los tiempos, el gran Rey de reyes y Señor de señores ha visto a un interminable desfile de personas que intentan atraer su atención o tratan de impresionarlo. La mayoría va vestida con los harapos de sus propios esfuerzos de santidad. Algunos entraron por sus puertas envueltos en túnicas de diversos niveles de acción de gracias y una reducida minoría entró envuelta en adoración.

En mi mente, muchas veces lo imagino diciéndose: «¿Quién me amará a *mí* más a las cosas que puedo darles? ¿Adónde está la gente que está más interesada en tocar *mi corazón* que en probar mi esplendor?».

El rey Salomón debe haber luchado con el mismo problema a lo largo de su reinado. Comenzó muy bien, pero los dones que Dios le dio lo elevaron tanto a los ojos de los demás que se elevó ante sus propios ojos. (Es evidente que no hizo lo que debía en cuanto a redirigir la alabanza de nuevo a Dios. Parece que comenzó a «creerle a su propia prensa»).

Mucho antes de que Asuero formara su harén, Salomón comenzó a concentrarse menos en Dios y más en sus propios deseos y lujurias. Con el tiempo, debe haber creído que era demasiado sabio como para equivocarse, o como para caer, porque dejó a un lado la orden directa de Dios y entregó su corazón a mujeres extranjeras que servían a ídolos demoníacos.

Acumuló la pasmosa suma de setecientas esposas y amantes reales, y otras trescientas concubinas o esposas secundarias (la mayoría proveniente de naciones prohibidas que servían a dioses falsos)[4].

Al final, parece que Dios se hizo a un lado del cuadro y le permitió a Salomón seguir adelante con el despliegue de su propia sabiduría. El centro de atención de la nación se apartó de la gloria del que estaba en el templo y se centró en la gloria del hombre dotado que se encontraba en el trono terrenal.

Una vez que se vio a Salomón como la fuente primaria de riqueza y ascenso, el favor del rey comenzó a tener más peso que el favor de Dios. Sin darse cuenta, Salomón se convirtió en el dios y el ídolo de la nación.

¿CÓMO ATRAES A UN HOMBRE CON MIL ESPOSAS?

Con todo el peso del renombre sobre sus hombros, un rey Salomón disfrazado se enamora de una pastora de ovejas sin nombre, llamada «la sulamita». Una de las prosas más románticas que se escribiera jamás fluyó de la pluma del hombre más sabio que viviera jamás: ¡escribió el Cantar de los Cantares acerca de la avasalladora atracción que sentía hacia esta muchacha campesina!

¿Por qué un gobernante famoso con mil esposas se sintió tan atraído hacia una simple plebeya? Por las mismas razones que el rey Asuero cayó ante Ester. Los dos líderes tenían a las mujeres más hermosas del mundo conocido. Tal vez quedaron fascinados al ver que unas hermosas y jóvenes doncellas se enamoraran de *ellos* en lugar de enamorarse de su majestuoso poder y su autoridad como grandes reyes.

Parece que la realeza siempre debe soportar el peso de la duda. La simple supervivencia los obliga a sentir escepticismo en cuanto a que la gente los ame por *otra razón* que no sea la ganancia personal o la posición elevada.

Aunque jamás diríamos que el Todopoderoso es escéptico, podemos decir sin temor que anhela con fervor tener más seguidores que, como Ester, se enamoren del Rey en lugar de enamorarse de sus bendiciones.

Sé que el corazón de Dios desea a los que aman al *dador* más que al regalo.

PROTOCOLO del PALACIO

2. BUSCA EL CORAZÓN DEL REY, NO EL ESPLENDOR DE SU REINO.

Fue Jesús el que nos dijo que su Padre busca sin cesar ciertas personas en la tierra. No digo que Dios haga acepción de personas, pero sí parece que tiene *deseos*, en el sentido de que «desea» que lo adoremos en espíritu y en verdad: «Ese es el tipo de adoración que el Padre quiere de nosotros»[5].

Algunos quizá disientan conmigo en cuanto a lo que me parece de Ester, pero estoy convencido de que Dios ungió y preparó de alguna manera desde la niñez a esta joven huérfana para que viera *algo* digno de amor en el aparentemente peligroso rey Asuero.

De algún modo, de alguna manera, Dios *ungió y señaló* a esta joven para sobresalir del resto de las mujeres hermosas en aquel inmenso harén persa. Dios preparó y equipó a Ester para que suavizara, y ganara, el corazón del dictador más fuerte de sus días.

Ester no se dio cuenta de que la vida misma de su pueblo dependería de lo que sucediera durante su primer encuentro con el rey. Creo que *el secreto de su éxito fue un deseo dado por Dios de ir tras el corazón del rey, en lugar de buscar el esplendor de su reino.*

JESÚS, EN LA CRUZ, DESEMPEÑÓ EL PAPEL DE ESTER

Te hablaré de otro extraño giro analógico del propósito divino. ¿Te das cuenta de que manera simbólica Jesús desempeñó el *papel de Ester* en su ministerio? ¿Te das cuenta de que estuvo dispuesto a entregarse a la cruel «reina» terrenal llamada muerte y permitió que su cuerpo yaciera «en el lecho de la muerte» en la tumba de otro hombre?

Dios nunca pierde la oportunidad de poner su firma en los sucesos importantes de la historia humana. Jesús rindió por completo su carne virgen y su alma sin mancha a la *muerte* en la cruz a fin de liberarnos para siempre del poder definitivo que tenía sobre nosotros.

Es evidente que Ester tenía una cita divina con el destino, ¿pero cómo llegó a ser la número uno en el corazón del rey entre cientos de mujeres de su harén? Me parece que Dios hizo que sucediera algo único dentro de ella. Parece que hubiera estado preparada desde el nacimiento «para un momento como este».

UNA MANO INVISIBLE HIZO A UN LADO CADA OBSTÁCULO

Parece que había un amor y un halo sobrenatural en ella que se ganó la lealtad y el favor extremos de personas que se encontraban en posiciones de poder, ¡incluyendo a sus enemigos! Fue como si una mano invisible hiciera a un lado cada obstáculo para que avanzara y se ubicara en una posición estratégica.

Algunos quieren rechazar el libro de Ester porque se preguntan: «¿Por qué haría Dios que Ester perdiera su virginidad en la cama de un gentil incircunciso (un persa)?». Desconozco la respuesta absoluta porque no soy Dios, así que la busco en algo que sé de su Palabra.

Hago una pregunta similar con riesgos *más importantes* en juego: «¿Por qué haría Dios *que su propio Hijo muriera* en la cruz de soldados gentiles incircuncisos (romanos) ante la exigencia de los sacerdotes judíos circuncidados?».

Conocemos la respuesta a esta pregunta. ¿No está escrito en alguna parte: «Porque *tanto amó Dios al mundo*, que dio a su Hijo unigénito, para que todo el que cree en él no se pierda, sino que tenga vida eterna»?[6]

Ya sea en la cama de un rey persa o en una cruel cruz romana, *puedes encontrar a Dios en algunos de los lugares más interesantes.* Además, puedes hacer la voluntad de Dios con algunas de las respuestas más extrañas. Un escritor lo dijo de esta manera en la Biblia: «Ciertamente, oh Dios de Israel, Salvador, te manifiestas en formas misteriosas y extrañas»[7].

La mayoría de los prejuicios en contra del libro de Ester se desprenden de malentendidos de estas «formas misteriosas». A mucha gente le resulta difícil justificar los planes y los métodos de Dios en la vida de Ester porque suponen que todos los libros de la Biblia son idénticos en estilo y propósito. No lo son.

El apóstol Pablo nos anima: «Procura con diligencia presentarte a Dios aprobado, como obrero que no tiene de qué avergonzarse, que usa bien la palabra de verdad»[8]. La gente que *ha* estudiado las Escrituras de manera exhaustiva, te dirá que la única forma de estudiar bien el libro de Ester es comprendiendo la naturaleza de la «narrativa hebrea», la forma literaria que se usó en este caso. La narrativa hebrea no es una enseñanza *abierta*, sino *velada*; no explica en detalle las motivaciones ni los pensamientos profundos de los personajes; estos se revelan *mediante la acción y el discurso*. El lector tiene la tarea de sacar sus propias conclusiones[9]. Muy bien, ¡descorramos el velo!

ASUERO ERA ATRACTIVO, AMBICIOSO, IMPLACABLE Y CELOSO

Heródoto, el historiador griego que mencionara antes, caracterizó a Asuero como uno de los tres reyes más formidables que existieran en Persia. También lo describió como el más alto y atractivo de todos, un gobernante ambicioso e implacable, un guerrero brillante y un amante celoso[10].

Los atributos de atractivo, ambicioso, implacable y celoso no terminaban en la sala del trono. El mismo espíritu de conquista y competencia debe haberse filtrado en cada rincón de la casa de las mujeres.

No se necesita mucha imaginación para figurarse el espíritu competitivo que se debe haber extendido al harén del rey. De algo estamos seguros: estas mujeres no pasaron un año allí cultivando un gran carácter. ¿Te imaginas la escena? Montones de literas con

EL REY O EL REINO?

cortinas transportaban a las finalistas, jóvenes que esperaban de todo corazón que la situación les resultara favorable. Imagina las pequeñas rivalidades, las luchas internas, la envidia y los celos. Imagina lo difícil que debe haber sido mantener el equilibrio espiritual cuando lo único que hacen todos a tu alrededor es poner énfasis solo en la condición y la forma de tu cuerpo y en la belleza de tu rostro[11].

A ESTER LA LANZARON A UNA ESCUELA DE SEDUCCIÓN

Fue en esta desenfrenada «escuela de la seducción» donde colocaron de manera amable, pero *permanente*, a la encantadora Ester. Las perspectivas eran sombrías. No había forma de escapar del esplendor de los aposentos para mujeres del rey. Sin importar lo que sucediera en los años por venir, cada una de las mujeres en aquel lugar eran de su propiedad.

Ya sea que lo vieran una vez y luego las olvidara (que quizá fuera justo lo que les sucedió a todas menos a *una*) o siguieran adelante para convertirse en la reina de Asuero, nunca regresarían a sus familias, jamás verían cumplidos los sueños de su niñez, ni siquiera volverían a caminar por las conocidas calles de la ciudad como lo hicieran alguna vez. Luego de un encuentro con el rey, jamás serían las mismas.

Supongo que a los familiares de los presidentes y los primeros ministros les sucede algo similar. Tienen que adaptarse a tener una comitiva de agentes del servicio secreto y de oficiales de seguridad a su alrededor (dictándoles la mayoría de sus movimientos) todo el tiempo. Ni siquiera pueden ir al baño sin que alguien lo sepa y le informe por radio la emocionante noticia a algún otro.

A Ester la rodeaba el «glamour» y el lujo, pero *no* estaba en un lugar cómodo. Chuck Swindoll dijo:

Este era el lugar para llegar a ser lo máximo en cuanto a la seducción. Era el lugar en el que las mujeres cultivaban la habilidad de

usar su encanto para conseguir lo que deseaban, es decir, el lugar
supremo que una mujer podía tener en el reino. Era el lugar en el
que las mujeres tenían a su disposición todas las joyas, todos los
perfumes, todos los cosméticos y la ropa necesarios para hacerlas
físicamente atractivas y encantadoras a los ojos del solitario rey.
Este era el lugar que hubiera hecho que las tiendas más lujosas del
mundo como *Nordstrom, Tiffany, Saks Fifth Avenue* y *Neiman
Marcus* desaparecieran en la insignificancia.

Sin embargo, fue en este ambiente competitivo y frívolo donde Ester, la estrella encantadora de Dios, brilló en su máximo
esplendor[12].

TODOS LOS MOTIVOS PARA
NO ENAMORARSE DE ASUERO

Como si esto fuera poco, Ester tenía todos los motivos para *no* enamorarse del rey de los persas. Era judía; Asuero no. Sus padres murieron bajo
la dominación de Persia. Sabemos que estaban incluidos entre los descendientes de los judíos que transportaron a Babilonia bajo el reinado de
Nabucodonosor y que luego obligaron a adaptarse cuando el rey persa
Ciro conquistó a los babilonios.

Solo Dios lo sabe con certeza, pero es probable que los padres de
Ester murieran debido a una tragedia en Babilonia (es bastante extraño
que los *dos* padres de una niña mueran por causas naturales). Más allá de
las circunstancias, sabemos que un primo mayor llamado Mardoqueo se
quedó con la huérfana llamada Jadasá. Mardoqueo vivía en Susa y estaba
al servicio del rey Asuero como escriba real.

Ester sabía lo que era vivir en peligro. Era una judía y una huérfana en la
ciudad capital de un imperio mundial violento y pagano. Ahora la habían
«reclutado», la habían separado del único familiar que conociera jamás y la
habían arrojado a la competencia despiadada de un concurso de belleza.

El precio que tenían que pagar las participantes era una noche con el
rey de la nación más temida de la tierra (una vez más, los eruditos estiman

que había entre cuatrocientas y mil cuatrocientas sesenta mujeres en este concurso).

LA VIDA EN LA CÚSPIDE DE LA CADENA ALIMENTICIA DE LOS PERSAS

El premio mayor era una vida con todos los gastos pagados en la cúspide de la «cadena alimenticia» del imperio, como reina de Persia. Debido a que Ester había pasado muchos años de su vida en Susa, debemos creer que entendía a la perfección lo que significaba ser la novia del rey. Estoy convencido de que Ester sentía que el destino estaba en acción en su vida, aunque no captara (ni entendiera) los detalles.

Ester debe haber sabido que como reina disfrutaría de un cierto nivel de acceso a casi todo a lo que el rey tuviera acceso. La imagino pensando: *Si gano el corazón del rey, si gano su favor, ya no tendré que preocuparme por las joyas, ni la ropa, ni la seguridad de mi familia por el resto de mi vida. El rey siempre proveerá para su reina.*

¡Quizá entendiera que más valía un día de favor que toda una vida de labor!

Tenemos la tendencia a concentrarnos de forma exclusiva en nuestras crisis y necesidades personales, en tanto que Dios orquesta los destinos de millones de personas y lo hace en perfecta armonía con su propósito para la humanidad durante todo el tiempo.

PROTOCOLO DEL PALACIO

3. ¡MÁS VALE UN DÍA DE FAVOR QUE TODA UNA VIDA DE LABOR!

Para Ester, el milagro comenzó cuando decidió buscar el *corazón* del *rey* en lugar de buscar simplemente el *esplendor* del reino. Es probable que Ester no tuviera ni idea de que pasaría todo un año preparándose para una noche con el rey, y que quizá tuviera que esperar otros cuatro años antes de que le llegara el turno de ir otra vez a la cámara real.

Estoy convencido de que el compromiso de Ester para amar puso en marcha una transformación en el corazón del rey. De repente, se encontró mirándola de una manera diferente a la que había mirado a todas las otras jóvenes vírgenes que habían venido ante él. Hubo algo que la elevó de ser solo un objeto de su lujuria a ser objeto de su amor.

La simple atracción física y la destreza sexual no pueden haber sido la clave. Dios estaba a punto de pasar por encima de los procedimientos normales para arreglar un «matrimonio de estado» entre su hija y el hijo de su vaso escogido, Darío[13]. Desde su nacimiento, equipó y ubicó con esmero a Ester para esta tarea.

> **TE ELIGEN POR EL POTENCIAL, PERO TE MANTIENES DEBIDO A LA PASIÓN.**

Tal vez permitió que Ester viera más allá del rostro endurecido y las cicatrices emocionales del guerrero implacable y que mirara más allá de la atención superficial del mujeriego real. Existe la posibilidad de que el comportamiento con unción divina de Ester haya desarmado a Asuero y le haya permitido revelar su vulnerabilidad.

Parece que Ester vio algo a través de una ventana divina que activó su corazón y la ayudó a ganar al rey. Fue su destino en Dios.

Algunos sostienen que el rey Asuero se casó con Ester solo por su deslumbrante apariencia (y tal vez por lo que sucediera durante su primera noche con él). Aunque el rey Asuero se casara con Ester por su apariencia, la mantuvo a su lado debido a su corazón.

En el palacio del rey celestial, *te eligen por el potencial, pero te mantienes por la pasión*. Él conoce el potencial con el cual te creó, pero te mantiene cerca porque te amó lo suficiente como para entregarse por ti.

Dejaremos el misterio de la intimidad librado justamente a eso, al misterio; sin embargo, esta historia debería ser una revelación para nosotros de cómo la mano de Dios opera en asuntos «no religiosos».

EL PROTOCOLO
DE SU PRESENCIA

La historia de Ester es una revelación de una campesina que llega a recibir la educación en cuanto al protocolo sobre estar en la presencia del rey. Creo que se enamoró del rey, en tanto que las otras jóvenes se enamoraron del palacio, del prestigio, de la comida y del lujo opulento de los alrededores.

Los consumidores comen a la mesa del Rey solo por el ocasional asentimiento obligatorio hacia el propio Rey. Al consumir sus bendiciones, les encantan sus regalos: su poder, sus provisiones, ¿pero lo aman a Él? Por otra parte, *los adoradores* solo dan algunos mordiscos en la misma mesa, concentrados por completo en el *Rey*.

Para decirlo de manera sencilla, Ester se dio cuenta de que *sin el rey, su palacio*, por más hermoso y legendario que fuera, *no era más que una enorme casa vacía*. (Muchas personas saben que esto es así en sus iglesias locales: Si Dios no está allí, no es más que un gran edificio vacío).

Es probable que Ester conociera a cientos de concubinas que vivían en el palacio con ella, pero que no tenían al rey. No eran otra cosa más que simples beneficiarias de un estilo de vida lujoso. Por lo tanto, Ester tomó la decisión consciente de no perseguir solamente el estilo de vida del *palacio*, perseguiría *el estilo de vida de una princesa*. Era la niña que sería reina. ¡Amaría al rey!

Quizá haya cientos de «concubinas espirituales» a tu alrededor, día tras día y año tras año, personas que se han quedado a vivir luego de un encuentro con Dios que les transformó la vida, pero que no han buscado su corazón, ¡prefiriendo en su lugar contentarse con los beneficios de holgazanear por su casa!

Debemos tomar la decisión de no conformarnos con el estilo de vida del palacio

> EL PALACIO
> DEL REY SIN
> EL REY NO
> ES MÁS QUE
> UNA ENORME
> CASA VACÍA.

de la iglesia que nos complace a nosotros mismos. Debemos perseguir el estilo de vida de una princesa y procurar agradar al Rey. Es hora de que seamos la iglesia que será reina, la esposa de Cristo.

Es posible que las concubinas tuvieran una *experiencia* con el Rey. ¡Su esposa *tendrá* al Rey!

CAPÍTULO 3

EL PROTOCOLO DEL PALACIO

*No puedes adorar
lo que destronas*

Cada palacio tiene su protocolo y cada residencia ejecutiva tiene sus reglas formales de conducta. El protocolo de un palacio es «un código que prescribe la estricta adherencia a la etiqueta y la preeminencia»[1]. El palacio de Buckingham, en Londres, tiene un protocolo de larga tradición, y lo mismo sucede con la Casa Blanca en Washington y el Kremlin en Moscú. Cuanto más alta y mayor sea la autoridad del rey o líder, más detallado y rígido será el protocolo.

Algunos de los que llegan a las puertas de un rey son simples *visitantes ocasionales* que buscan una audiencia y nada más. Lo único que dominan estos visitantes pasajeros son los procedimientos más básicos del protocolo y solo se les permite visitar los salones externos del palacio real. Tienen acceso únicamente a los lugares en los que bastan los comportamientos protocolares más sencillos, las cosas comunes a casi todos fuera del palacio. Hasta el día de hoy, a las jovencitas que tal vez nunca adornen el palacio de Buckingham se les enseña a hacer una reverencia, y los jovencitos, aunque tal vez nunca vean a la realeza, también saben cómo hacerla.

Un segundo grupo, al que podríamos llamar los *invitados del rey*, viene por asuntos oficiales de una naturaleza más vasta. Por necesidad, estos individuos deben tener mucho más dominio del protocolo palaciego. Lo que buscan y piden tiene lugar en áreas más internas de la residencia real, detrás de puertas más privadas y en lugares más privilegiados (protegidos por más procedimientos de seguridad).

Luego están los *íntimos*, los que han concentrado sus vidas principalmente en la corte del gobernante. Estos son individuos excepcionales, pocos en número, pero grandes en los privilegios de acceso. Entienden cómo se trata a un rey o a una reina con el adecuado respeto y honor debido a su condición real. Estos pocos elegidos saben cómo acercarse a un monarca porque comprenden y siguen al pie de la letra el protocolo del palacio.

Debido a que en el mundo moderno solo quedan unas pocas monarquías, parece que muy pocos somos los que entendemos cómo acercarnos al emperador de Japón o a la reina de Inglaterra. Conocemos las formalidades básicas que quizá aprendimos en la niñez, como la reverencia, pero si tenemos que ir más allá de estas sencillas cortesías, nos sentimos perdidos. Una deferencia más prominente hacia la realeza parece ser una habilidad olvidada; hacemos despliegue de una sencillez incentivada por la naturaleza igualitaria de los movimientos políticos modernos y de los derechos individuales.

Nos sentimos raros y con pocos recursos, con la necesidad de recuperar el perdido arte de magnificar y elevar a la dignidad de monarca a un rey. Hasta el lenguaje honorífico nos resulta extraño. ¿Cuántos hemos leído palabras en las Escrituras situadas en un marco real y nos hemos preguntado cómo sería la cultura que les dio origen? ¿Qué pasaba por la cabeza de Isaías cuando escribió, con poder profético, sobre la ambición real prohibida de Lucifer: «Subiré hasta los cielos. ¡Levantaré mi trono por encima de las estrellas de Dios!»?[2] ¡No puedes adorar lo que destronas!

Los celos de la naturaleza humana tienden a derribar, pero la adoración edifica. Hasta el Hijo de Dios se estrelló contra esta pared de negativismo. Jesús visitó su ciudad natal, pero se vio limitado a realizar solo algunos milagros menores debido a la incredulidad dominante y a la excesiva familiaridad.

¡NO PUEDES ADORAR LO QUE DESTRONAS!

La gente de Nazaret no podía o no quería honrar a Jesús por lo que era Él; insistían en tratar de hacerlo retroceder a su niñez, a fin de que estuviera a su mismo nivel. El problema es que Él era el Rey, un gobernante sin precedente ni igual. Jesús dijo: «En todas partes se honra a un profeta, menos en su tierra, entre sus familiares y en su propia casa»[3].

El protocolo de la corte del rey Asuero se concentraba en la extrema seguridad para el monarca más temido y poderoso del mundo, y creaba una presentación imponente para el rey más rico y fuerte del mundo.

El protocolo era de especial importancia en las cortes reales de Persia. En cada palacio y ciudad real que usaba el rey Asuero, reinaba una particular atmósfera de desconfianza, debido a la desagradable tendencia de los propios parientes y consejeros de confianza de asesinar al rey[4].

El reino persa bajo el reinado de Asuero se extendía desde la India hasta Etiopía, gobernando veintitrés naciones en nada menos que tres continentes. El protocolo persa requería que los reyes derrotados o los países subordinados se humillaran en una gran procesión, llevando el tributo de dinero de un edificio real a otro, pasando por veintenas de columnatas, hasta que al final se inclinaban frente al mismo rey Asuero en la sala del trono real.

> PROTOCOLO DEL PALACIO
>
> 4. LA ADORACIÓN ES EL PROTOCOLO QUE PROTEGE AL REY Y DISTINGUE AL VISITANTE.

El protocolo del palacio ayudaba a desechar las peticiones, los requerimientos y las quejas sin importancia, con menos valor o inadecuados. La mayoría podía derivarse a oficiales de menor rango. A lo largo de la procesión que los llevaba a la sala del trono, a la riqueza del rey, a su poder y absoluta autoridad sobre las vidas de sus súbditos, los visitantes que aspiraban a llegar al trono se sentían sobrecogidos. *El elaborado protocolo tenía el propósito de proteger al rey y distinguir al visitante.* Cuando al fin la gente llegaba a la sala del trono del rey Asuero, sabía que se encontraba en presencia de un gobernante poderoso.

Una parte de la lección del protocolo es la importancia de *esperar*. ¿Cuánto tiempo hace que esperas? Estamos dispuestos a esperar el momento oportuno en el consultorio del médico; hemos leído todas las revistas con las esquinas dobladas y Biblias para niños en la sala de espera del ortodoncista; podemos decir cuántas luces parpadean en la oficina de licencias para conducir del Departamento de Transporte de nuestro estado; y hasta pagamos precios exorbitantes a fin de pararnos en hilera en nuestros parques temáticos favoritos durante las estaciones más calurosas del año. Sin embargo, consideramos que estas son excepciones irritantes a la regla de hierro: Queremos lo que queremos, ¡y lo queremos *ahora*!

Vivimos en una cultura de gratificación instantánea y no existe mayor enemigo para la intimidad. (¡Hoy en día, muchos ni siquiera «esperan» hasta el matrimonio para tener intimidad!)

Si alguien es importante de verdad, vale la pena esperarlo. Muchas veces las personas esperaban días o semanas para obtener una entrevista con el rey. En la actualidad, hay otros que se niegan a esperar y en cambio siguen adelante cuando se obvian sus peticiones o se traban sus destinos. Solo esperamos lo que valoramos. Cuando todo se ha dicho y hecho, *esperar es adorar*.

Si decidías pasar por alto el protocolo de un rey de la antigüedad (o, en realidad, de un líder moderno), te hubieran puesto en la lista de *persona non grata*[5], y a tu pasaporte le hubieran puesto un sello que dijera «ACCESO DENEGADO». En casos extremos, hubieran podido ejecutarte por «precipitarte» a la sala del trono.

EL AMO DE LAS AUDIENCIAS REALES

Cualquier visitante que buscara acercarse al trono de Persia y que hubiera podido abrirse paso a través de todas las puertas, al final tenía que contender con un poderoso guerrero y oficial que comandaba a los mil guardaespaldas personales del rey. Este «amo de las audiencias reales» era casi siempre un héroe de guerra y un guerrero campeón de toda la confianza del rey. Ocupaba «el único oficio que podía sobrepasar a todos los demás en poder e influencia» (con excepción del rey), y controlaba personalmente *quién* podía ver al rey y *cuándo*[6]. (Además, solo se podía conocer a esta imponente figura luego de dominar el arte del protocolo palaciego).

Para algunas personas que no están en el reino de Dios, la rama del cristianismo que ven en ciertos programas de televisión y en la iglesia del barrio ubicada en la esquina, les debe parecer tan protegida y llena de obstáculos como la corte de Persia. A menudo ven a los predicadores como los «señores de las audiencias reales», los que deciden quién entra y quién no. (Jesús es la verdadera «Puerta», el Amo de las audiencias para todos los que quieran ver al Padre en el cielo).

Como la mayoría de los que no son salvos *saben* que no son santos, con mucha frecuencia se dan por vencidos y «le dejan la religión a los compañeros religiosos». El cristianismo puede dar la impresión de ser un laberinto de muros: muros de buenas obras, de códigos en cuanto a la vestimenta, de «apretones de mano secretos» y de una jerga religiosa especial diseñada para mantener apartados de un Dios exclusivo a los que no se han iniciado.

Sin embargo, existe un mapa de ruta que lleva a la presencia de Dios... y el amor es el que le pone el sello a tu visa.

Con el surgimiento de las computadoras personales, de los videojuegos y de la Internet, hemos visto una increíble explosión de juegos para la computadora. La mayoría se basa en imágenes de la Nueva Era o en fuentes que abiertamente pertenecen a lo oculto, y millones de personas se encuentran cautivadas durante horas mientras tratan de abrirse paso a través de millares de laberintos, mientras desempeñan papeles ficticios en mundos imaginarios.

El objetivo es avanzar de un nivel de intimidad y poder hacia el siguiente. (No promociono estos juegos ficticios; me encuentro comprometido por completo con el verdadero Rey, en cuya presencia encuentro todo lo que necesito). Lo que me asombra es la cantidad de energía que algunos gastarán en un mundo imaginario, ¡solo para pasar por alto el mundo espiritual!

Sin embargo, la búsqueda para tener acceso a tales juegos populares parece similar a los laberintos que enfrentaban las personas que deseaban ver al rey de Persia. El filósofo griego Aristóteles describió la corte persa en una carta que le envió a su discípulo Alejandro Magno:

> La pompa de Cambises, Asuero y Darío se encontraba ordenada a gran escala y tocaba las alturas de la majestad y la magnificencia. El mismo rey, decían, vivía en Susa o en Ecbatana, *invisible a todos*, en un maravilloso palacio, rodeado por una pared que destellaba oro, ámbar y marfil; tenía una sucesión de muchas torres con puertas y estas, separadas entre sí por muchos estadios[7], estaban fortificadas con puertas de bronce y altas paredes.
>
> Fuera de estas puertas, los líderes y hombres más eminentes se ponían en orden, algunos como guardaespaldas y asistentes personales del rey mismo, otros como guardianes de cada muro exterior, llamados guardias y vigías que escuchan, de modo tal que el mismo rey, que tenía el nombre de amo y dios, lo viera y escuchara todo. Además de estos había otros nombrados como oficiales del tesoro, líderes de la guerra y de la cacería, receptores de los regalos del rey y otros sirvientes, cada uno de los cuales tenía la responsabilidad de administrar una tarea en particular, según se necesitara[8].

LA TRANSFORMACIÓN DE ESTER: DE DÍA EN DÍA

Al mismo tiempo, lo cierto es que *ninguno* de nosotros merece entrar, pero Dios mismo ha creado un camino. La buena noticia es que *todos* pueden venir a Dios en cualquier momento si admiten que están equivocados y le rinden su corazón a Jesucristo. (En ese instante, Dios los *adopta* a través de su Hijo para que formen parte de su familia real y comienza a completar la obra de la «transformación de Ester», de día en día. Es lamentable que muchas veces nos sintamos abrumados por el peso del protocolo religioso, incluso *después* de recibir a Jesucristo como Señor y Salvador).

Es probable que al ciudadano promedio de Persia le pareciera imposible entrar a la residencia y fortaleza real en los tiempos del rey Asuero. Del mismo modo, al cristiano promedio muchas veces le parece igual de imposible acercarse en verdad a Dios o conmover su corazón. Sin embargo, por medio de Jesucristo, lo imposible se hace posible. Hasta los extranjeros pueden convertirse en íntimos. Él creó un camino para que dejemos nuestra «pasada manera de vivir» y para que cambiemos nuestros pensamientos y actitudes. Cuando su protocolo se termine en ti, «revístete de la nueva naturaleza. Sé diferente, santo y bueno»[9]. Este es el milagro transformador del protocolo de su presencia.

En circunstancias normales, no era fácil entrar a la presencia del rey de Persia. Cuando la gente se acercaba a la presencia del rey desde fuera de la residencia real, el primer obstáculo con el que se encontraba era la puerta del rey, una imponente entrada que se elevaba en una alta torre.

Era imposible pasar de la parte de *afuera* de la puerta hacia el *interior* del palacio a menos que tuvieras las credenciales apropiadas. Las cosas se estructuraban de esa manera. ¿Cómo se las arreglaba un hombre o una mujer común para obtener las credenciales que le permitieran pasar a través de semejante entrada real? Por lo general, hacía falta una invitación real.

PARA TODOS, DESDE EL MÁS INSIGNIFICANTE HASTA EL MAYOR

Hay veces en la vida de un rey en las que abre ciertas partes del interior privado de su palacio a fin de que los vea el público:

> Durante ciento ochenta días les mostró la enorme riqueza de su reino y la esplendorosa gloria de su majestad. *Pasado este tiempo, el rey ofreció otro banquete, que duró siete días, para todos los que se encontraban en la ciudadela de Susa, tanto los más importantes como los de menor importancia.* Este banquete tuvo lugar en el jardín interior de su palacio, el cual lucía cortinas blancas y azules, sostenidas por cordones de lino blanco y tela púrpura,

los cuales pasaban por anillos de plata sujetos a columnas de mármol. También había sofás de oro y plata sobre un piso de mosaico de pórfido, mármol, madreperla y otras piedras preciosas. En copas de oro de las más variadas formas se servía el vino real, el cual corría a raudales, como era de esperarse del rey[10].

El gran Rey de la iglesia celebra algunas veces banquetes públicos que le permiten a todos ser testigos de su gloria y celebrar su gozo. A estos tiempos les llamamos *avivamientos*. El vino real de su presencia es abundante y hasta los incrédulos indiferentes de los alrededores los atrapan su amor y presencia.

EL MODELO DE PROTOCOLO EN EL TABERNÁCULO DE MOISÉS

La mayoría de las veces, sin embargo, a la corte del Rey se entra de acuerdo al protocolo de su presencia. En el Antiguo Testamento, la Palabra de Dios explica en detalle un modelo para este protocolo mediante el tabernáculo de Moisés. Es prácticamente un manual para saber cómo comportarse en la presencia de Dios, cómo entrar al palacio del Rey de reyes.

El salmista David se refirió a este modelo cuando nos dijo: «Entren por sus puertas con acción de gracias»[11]. La acción de gracias *puede* ser la forma más baja de adoración porque depende de la respuesta a la pregunta: «¿Qué has hecho por mí últimamente?». En cambio, la alabanza no depende de lo que Él haya hecho, sino de lo que es Él. Creas o no que ha hecho algo por ti, ¡Él es digno de alabanza!

Esta primera etapa de avance en la acción de gracias «te da entrada a la propiedad, a las instalaciones, y bajo las promesas». ¡Pero aun hay más! Luego debemos entrar en sus atrios con alabanza.

Existe una diferencia entre la acción de gracias y la alabanza. *Agradecemos* a Dios porque *ha hecho algo* maravilloso en nuestras vidas que deseamos reconocer y recordar. Lo alabamos *por lo que es Él*, por sus atributos o por sus caminos. Es digno de alabanza, punto, ya sea que tengamos un buen o mal día.

LA ALABANZA TE LLEVA A SUS ATRIOS

En el palacio hay más habitaciones que los patios externos e internos. También hay lugares de intimidad con Dios. El nivel más alto de alabanza es la adoración, que nos transporta a la presencia del Santísimo, a la cámara secreta, a la morada sagrada del Dios de gloria.

La adoración difiere de la alabanza solo en el sentido en que nuestras vidas y nuestros cuerpos *se convierten* en la alabanza que le ofrecemos. Lo único que necesitas a fin de dar la talla para la alabanza es tener aliento, pero para conocerle de verdad se necesita adoración. Es aquí donde expresamos nuestro amor hacia Él *al inclinarnos* delante de Él[12]. Nos humillamos ante Él solo por lo que es Él. La adoración no depende de lo que haya hecho, de lo que hace ni de ninguna otra circunstancia externa. Es digno de adoración sencillamente por lo que es Él. Este es nuestro amor incondicional hacia nuestro Padre en el cielo, y no se puede entrar a este lugar a menos que estemos «limpios» en nuestros corazones y en nuestras mentes, con motivaciones puras, amando al Dador más que a las dádivas. Vemos una imagen de esta clase de adoración en la revelación de Juan en el Apocalipsis:

> Y día y noche repetían sin cesar: «Santo, santo, santo, es el Señor Todopoderoso, el que era y que es y que ha de venir». Cada vez que estos seres vivientes daban gloria, honra y acción de gracias al que estaba sentado en el trono, al que vive por los siglos de los siglos, los veinticuatro ancianos *se postraban ante él y adoraban* al que vive por los siglos de los siglos. *Y rendían sus coronas delante del trono exclamando*: «Digno eres, Señor y Dios nuestro, de recibir la gloria, la honra y el poder, porque tú creaste todas las cosas; por tu voluntad existen y fueron creadas»[13].

La palabra griega para «adoración» que se usa en este pasaje es *proskunéo*. Literalmente significa «*besar*, como el perro que *lame* la mano del amo; *abanicar* o *agazaparse a*; *postrarse* en homenaje (hacer reverencia a, adorar): postrarse, reverencia, suplicar»[14]. *En esta postura, uno no preserva su dignidad, ¡sino pone de manifiesto la majestad del Rey!*

ESTO ES ADORACIÓN

Los veinticuatro ancianos delante del trono de Dios lo *adoran* (¡incluso en este mismo instante!) inclinándose delante del Dios todopoderoso. Literalmente se postran en humilde homenaje y adoración reverente. Luego, en voluntaria sumisión, una y otra vez, dejan las coronas de autoridad que Él les dio. Lo adoran con el fruto de sus labios. *Esto es adoración*: la apasionada declaración, demostración y celebración de su valor.

¿Por qué parece que esta clase de adoración extravagante queda tan fuera de lugar en muchas iglesias? ¿Será porque la adoración desinhibida es tan excepcional o porque nuestra comprensión, nuestras expectativas y nuestras normas sobre la verdadera adoración son tan terrenales y se centran tanto en el hombre?

Algunos de los momentos que más atesoro en mi mente, en el banco de los recuerdos de «instantáneas de papá», son las tiernas ocasiones en las que mis niñas solían subir a mi regazo y me colmaban de cariño. No necesitaban una razón. Lo hacían simplemente porque amaban a su papá.

Jamás olvidaré la sensación que me producían sus rizos suaves contra la mejilla y esos bracitos pequeñitos alrededor de mi cuello. Lo que de verdad me enternece es el recuerdo de esos grandes ojos marrones que se clavaban profundamente en los míos, seguidos de las palabras que atesoraré toda mi vida: «Papi, te *tiedo*».

Si en ese momento preguntaba: «¿Qué quieres, cariño? ¿Necesitas algo?», por lo general, la respuesta era previsible: «No, papi. No necesito nada. Solo te quiero a ti».

Creo que mis hijas no se daban cuenta entonces, pero yo hubiera considerado muy en serio la posibilidad de vaciar mi cuenta bancaria para dársela en esos momentos de debilidad inducida por el afecto. El amor incondicional tiene la propiedad de debilitarles las rodillas a los padres, de suavizarles el corazón y de volverse liberales con la billetera.

Hay algo especial en decirle al Padre: «No, papi. No necesito nada. Simplemente te quiero a ti». Estoy convencido de que hasta nuestro Padre celestial reacciona de una manera especial cuando expresamos nuestro amor y anhelamos su presencia. ¡La adoración incondicional también descubre las «debilidades» del Rey!

La adolescencia tiene la particularidad de sensibilizar demasiado al hijo a la presión de sus pares y de inhibir los actos abiertos de ternura hacia los padres. No permitas que este mismo síndrome reduzca tus demostraciones de adoración hacia tu Padre celestial. *Lo extravagante debiera ser la norma, no la excepción.*

El Rey es digno. ¿Acaso nos sentimos demasiado intimidados? Jesús dijo: «Les aseguro que el que no reciba el reino de Dios como un niño, de ninguna manera entrará en él»[15].

Decide ahora mismo que no eres demasiado adulto para sentarte en el regazo de Papá. Toma la decisión de no dejarte intimidar para distanciarte del Padre. El Rey de reyes dijo que los que vencieren se sentarán *con* Él en su trono[16]. El protocolo de esta clase de adoración es lo que guió a María, sin tener invitación, a entrar en el círculo más íntimo con un frasco de alabastro. *Ve donde pocos se atreven: al regazo del Rey.*

LA INTIMIDAD DE LA ADORACIÓN APASIONADA

Si hay algo que en verdad «acelera» o pasa por alto los pasos habituales de avance en el protocolo de la presencia del Señor es esta intimidad de adoración apasionada. Cada paso es importante y valioso, pero los primeros en este proceso tienden a ser los más formales. En especial, cuando hay peticiones en el medio.

> MIENTRAS MÁS TE ADENTRAS EN EL PALACIO, MENOS PERSONAS HAY.

Esto también era cierto en el palacio del rey Asuero. Todos sus súbditos tenían que atravesar el rígido protocolo del palacio para acercársele. Aun cuando recorrían todo el camino hasta su trono, el acercamiento lo limitaban siempre dos altos pedestales con quemadores de incienso en lo alto que delimitaban la zona «No Avanzar»[17]. Si alguien entraba sin autorización a este territorio prohibido, o si llegaba a entrar a la sala del trono sin permiso o perdón, lo ejecutaban enormes guardaespaldas que tenían hachas afiladas como navajas[18].

El protocolo del palacio avanza desde la puerta del frente, por todo el camino, hacia los recovecos interiores de las cámaras del rey. Te darás cuenta de que *mientras más te adentras en el palacio, menos personas hay*. La multitud se reduce. Vemos el progreso de la intimidad, hasta en el ministerio público de Jesús frente a la mujer con la hemorragia crónica.

Lo seguía una *gran multitud*, la cual lo *apretujaba*. Había entre la gente *una mujer* que hacía doce años padecía de hemorragias[19].

En este pasaje se delimitan tres clases diferentes de intimidad. Estaba la multitud, el gentío; luego se encontraban los pocos dentro de la multitud que estaban cerca de Él, esos que lo «apretujaban» o comprimían con su cercanía. Por último, hay «una mujer» que lo toca y aprovecha el poder de la fe íntima.

Se le acercó por detrás entre la gente y *le tocó el manto* [...] Al instante cesó su hemorragia, y se dio cuenta de que su cuerpo había quedado libre de esa aflicción[20].

Todavía sigue dando el mismo resultado con el Rey Jesús. Cuanto más penetras en su palacio, menos gente te encuentras en ese lugar de acceso, aunque estés en medio de la multitud. Jesús estaba rodeado por otros y algunos hasta lo empujaban en el sentido *natural*. Solo una lo tocó tanto en el aspecto físico *como* de espíritu a espíritu. Debes hacer algo para sobresalir.

Cuando al fin llegas al dormitorio, te encuentras solo con el rey y su esposa.

LA POSICIÓN Y LA PETICIÓN A MENUDO GRITAN SUS DEMANDAS, ¡PERO LA PASIÓN SOLO NECESITA UN SUSURRO!

Hasta los sirvientes de más confianza del rey tienen prohibido el acceso a ese lugar de intimidad en los momentos privados.

LOS PRÍNCIPES DEL CONSEJO REAL

A partir de los días de Darío, en el Imperio Persa había siete consejeros clave que tenían más poder y privilegios que casi cualquier otra persona. Estos «príncipes del consejo real» podían acercarse directamente al rey, en cualquier momento, día y noche, *excepto* al dormitorio cuando el rey estaba con una mujer[21]. La única otra persona con privilegios iguales o mayores era el «amo de las audiencias» que mencionamos antes. Además, estaba la reina, que a diferencia de estos hombres, no podía acercarse a su esposo sin previo anuncio, pero que aun así podía modificar el destino desde la privacidad del dormitorio. *La posición y la petición a menudo gritan sus demandas, ¡pero la pasión solo necesita un susurro!*

Cada uno de nosotros debe descubrir de manera individual la clave del protocolo para que se nos conceda el acceso a la presencia de Dios. Si por alguna razón no lo descubres, debes sentirte inclinado a pensar que tienes que esforzarte por *ganarte* el acceso a una buena relación con el Rey, aunque la prueba de ADN espiritual certifique que eres miembro de la familia real. También es probable que creas que solo unos pocos que de verdad se lo merecen, escogidos especiales o personas privilegiadas, pueden abrirse paso hacia la magnífica presencia manifiesta de Dios.

¡La buena noticia es que se encuentra disponible una «autorización de seguridad» aun más alta que el protocolo de las puertas!

La mayoría de los cristianos comprende y practica el protocolo celestial de la acción de gracias a la entrada de las puertas, donde los hombres se esfuerzan por reconocer a Dios y darle gracias.

Un número más reducido practica el protocolo de la alabanza, necesario para entrar al lugar santo, donde la interacción con Dios no depende de la última lista actualizada de bendiciones y regalos que hayamos recibido de Él.

¿ES DEMASIADO NOBLE
EL LINAJE REQUERIDO?

Solo algunos privilegiados pueden andar con libertad por la residencia real, el Lugar Santísimo. (En el Antiguo Testamento, solo los sacerdotes del linaje de Aarón podían aventurarse al Lugar Santísimo a fin de ministrar en la presencia de Dios). Esto desconcierta a la mayoría de las personas fuera de las puertas. En secreto, sueñan con moverse más cerca del gran Rey, pero están seguros de que el precio es demasiado alto y que el linaje requerido es demasiado noble para ellos.

Como vimos, en el reino de los medos y los persas, en el siglo cuarto antes de Cristo, un estricto protocolo determinaba quién podía acercarse a la presencia del rey en el palacio real. Sin embargo, existía una extraña tradición que persistía a pesar de todas las reformas, el orden y la organización establecidos en Persia por el padre de Asuero, el rey Darío.

«Los sujetos con algún motivo de queja se acercaban a la puerta del rey o del gobernador y protestaban en voz alta». Los historiadores de la era de Persia dicen que esta práctica era tan antigua que se remontaba a la dinastía Aqueménida[22].

¡Estoy convencido de que esta tradición es mucho más vieja aun! Las personas han gritado a los cielos y han agitado sus puños delante de Dios desde los días de Caín. La hilera de peticionarios inadecuados y de quejosos indignados que se encuentra fuera de las puertas de la adoración debe ser la más larga de la historia humana.

¿La intención de Dios era que estuviéramos limitados a gritar nuestras demandas o pedidos desde el lado de afuera de la puerta? De ninguna manera, pero debo admitir que si le echas un vistazo a la *práctica* cristiana alrededor del mundo, te convencerías de que eso es lo que sucede.

¿Cuál *es*, entonces, el protocolo que permite el acceso a la presencia de Dios? El cuadro del protocolo divino del Antiguo Testamento nos muestra tres patios y una progresión sacerdotal hacia la *shekiná* de Dios (o gloria visible) en el tabernáculo de Moisés. Una cerca de dos metros y medio de alto establecía la línea que demarcaba toda la zona del tabernáculo. Impedía el acceso físico y hasta mantenía alejados a los ojos de los intrusos curiosos que querían espiar. (Como dice la Escritura: «Todos han pecado y están *privados*»)[23].

Todo el que entraba tenía que estar capacitado y la cerca separaba de la invasión de la vida diaria a los tres «atrios» del tabernáculo con una sola puerta (o entrada) que conducía al interior.

LA ENTRADA A LA EMBAJADA O AL CONSULADO DEL CIELO

Era como si los límites cercados del tabernáculo marcaran la tierra soberana de la embajada o consulado del cielo, adonde la presencia de Dios hacía que la tierra misma fuera santa y separada. Supongo que podías gritar con fuerza desde afuera tus peticiones y solicitudes, pero la única manera de buscar como es debido una audiencia con Dios era entrando por la puerta con una ofrenda en la mano y con el regalo de la acción de gracias en tu corazón. Esto ilustra el deseo doble que Dios tiene en cuanto al culto, al que se le ofrece con entusiasmo en el corazón *y* en las manos, en cuerpo *y* espíritu. (No es casualidad que le rindamos culto con manos levantadas, con corazones humildes, con mentes iluminadas y rodillas dobladas).

Solo a los sacerdotes se les permitía entrar al atrio del Lugar Santo, donde ministraban al Señor e intercedían juntos por la humanidad. (Esto me recuerda a la sala de un tribunal, donde lo que más se escucha son los alegatos formales y los argumentos de los abogados al elevar peticiones al tribunal y entrevistar a sus clientes y testigos).

La mayoría de las peticiones se ofrecía sobre la base legal de las promesas de Dios, de las instrucciones para suspender temporalmente los castigos por el pecado o para dedicar ciertas cosas y personas a Dios.

El tercer atrio se llamaba el Lugar Santísimo y era donde se guardaba el arca del pacto. Este representaba la presencia de Dios. Era tan santo que solo a una persona designada de la familia de sumo sacerdotes de

Aarón se le permitía entrar allí una vez al año. Y *esto* era posible solo bajo la cobertura de una nube de «humo santo». El humo que salía del incienso santo ardiente representaba el humo de la alabanza y del culto a Dios.

> [El sumo sacerdote Aarón] tomará el hornillo donde se quema el incienso, y *dos puñados de incienso aromático*. Pondrá brasas de mi altar en el hornillo, y con este en sus manos, entrará en el Lugar Santísimo, que está detrás de la gran cortina. Allí echará el incienso en el fuego del hornillo *para que el humo envuelva la tapa que cubre el cofre del pacto. Así no morirá*[24].

Si piensas que el protocolo no era importante, lee de nuevo esta última línea. Si no había suficiente humo de alabanza y adoración, era probable que el sumo sacerdote no regresara con vida de su viaje a la presencia santa de Dios. Sin embargo, este era el lugar en el que Dios le hablaba al hombre y confirmaba su pacto.

Jesucristo, nuestro sumo sacerdote, rompió el velo que nos separaba de la presencia de Dios. Ahora podemos entrar a su presencia a través de un camino (o protocolo) nuevo y vivo, mediante la sangre de Jesús y a través de su obra consumada. En esencia, hay más lugares en un palacio que un patio y una sala de la corte. Existe un lugar de intimidad con Dios, una experiencia detrás del velo.

Los alegatos que se presentan dentro de la formalidad de la sala de la corte pueden ser persuasivos, pero algunas veces una palabra susurrada sobre la almohada de la intimidad puede cambiar el rumbo de las naciones. *En principio, Ester no tiene poder, pero con el tiempo se vuelve poderosa*. Se trata de tu relación con el Rey. ¿Cómo pasas de no tener poder a ser poderoso? *¡Aprende el protocolo del palacio!*

LAS MULTITUDES LO BUSCAN POR PAN

Al igual que en el Antiguo Testamento los israelitas del éxodo recibieron una alimentación milagrosa en el desierto, en el Nuevo Testamento las grandes multitudes de cinco mil y cuatro mil hombres más sus familias recibieron de Jesús el milagro del pan y la carne, y quisieron más. Este lugar de bendición imprevista se encontraba prácticamente fuera de «los atrios de Dios», pero dentro del área de alcance de su bendición. Muchos de nosotros que recibimos las compasivas bendiciones de Dios con frecuencia lo encerramos en una caja permanente, el estereotipo de un «botiquín de emergencia» y del «dador de pan».

A menudo, los que no tienen relación con Dios (incluso los ateos) claman a Él en tiempos de necesidad, pero enseguida vuelven a su posición habitual, en cuanto el pan es abundante, tienen el estómago lleno o terminó la crisis. Muchos otros se deslizan a través de la puerta cuando la experiencia con Dios tiene un costo porque, en cambio, prefieren buscar el siguiente paseo gratis o la próxima aventura estimulante.

Esto me recuerda escenas históricas en las que el rey desfilaba por las calles de la vieja Londres, París o Persia, mientras miles de súbditos leales en apariencia formaban filas en las calles para recibir algún regalo o algunas monedas que los sirvientes del rey le arrojaban a la multitud.

Esta manera de pensar es casi irracional y carente de relación con respecto al gran Rey y a su reino. Los que gritan, dan alaridos y andan a la rebatiña en busca de bendiciones aisladas no lo *conocen* de verdad. Ven su presencia que pasa como una extraña bendición con la cual no pueden contar día tras día.

Aunque es cierto que Ester se convirtiera en la elección del rey, fue un suceso raro y casi sin precedentes, en tu caso y en el mío sí tiene precedentes. Nuestro Rey de reyes nos ha invitado a que nos acerquemos confiadamente a su *trono*. ¡No se trata de una lotería espiritual! Sin embargo, existe un protocolo del palacio, una manera de entrar a su presencia.

SOLO QUERÍAN QUE SE QUEDARA SI...

Sucedió el día en que Jesús entró a Jerusalén montado en un burrito. La multitud quería proclamarlo rey, aunque fuera por un día. Podía seguir siendo un rey de aclamación popular, solo si lograba quitar la influencia de Roma y restaurar a Israel a la vieja gloria que tuvo bajo los reinados de David y Salomón.

Las multitudes aclamaban a Jesús como un hacedor de milagros con un futuro brillante y como un líder político que cambiaría el gobierno y enmendaría los daños. Un líder popular, ¡con el poder para hacer milagros para arrancar! Todo estaba bien para estos compañeros hasta que un Dios indómito que era mayor que la teología de ellos les pinchó la burbuja política.

Esta clase de personas se queda casi siempre afuera de las puertas de una relación, sin deseos de aprender el protocolo del culto, a la espera de que Dios pase al azar junto a la estación de sus vidas. Parece que nunca entienden que puedes llamar la atención de Dios a través del protocolo del culto.

ALGUNOS VEN A JESÚS COMO UN GRAN MAESTRO

Algunos hasta llegan a honrar la ley de Dios y sienten gran respeto por quienes la enseñan bien y con autoridad. Tienden a ser más religiosos que la mayoría, poseen un conocimiento de la Palabra de Dios superior al promedio y, por lo general, *lo aplican con menor eficiencia* de la que debieran. ¡Hacen de la ley un dios y nunca conocen al Autor!

Algunos se detienen frente al umbral del siguiente nivel. Sienten que algo los mueve a pasar a la siguiente habitación del palacio, pero no tienen el sello adecuado en su pasaporte espiritual. Pueden comprender que «entramos por sus puertas con acción de gracias», pero vacilan al tener que «ir a sus atrios con himnos de alabanza».

Les resulta difícil rendir culto cuando no existe un motivo aparente por lo cual estar agradecidos.

Este es el lugar de la mezcla, donde las peticiones se mezclan con la alabanza a Dios. La «gratitud» es un buen lugar para estar, pero la «alabanza» te hará avanzar. Es un nivel de relación, pero no de la relación más cercana. Todavía existe un fuerte componente de «yo te rasco la espalda si tú me rascas la mía» que ensombrece algunas de estas actividades.

A UNA HABITACIÓN DE DISTANCIA...

Una cosa es saber quién es Él y otra diferente es acercarse lo más posible. Los doce discípulos *conocían* quién era Jesús (incluyendo a Judas, el que lo traicionó usando el poder de reconocerlo y del conocimiento personal). De los doce, había tres que se acercaban lo más posible: Pedro, Jacobo y Juan. Estos tres recibieron el llamado al mismo tiempo mientras pescaban en sus barcas y los tres acompañaron al Señor al monte de la transfiguración.

Cuando llegó la hora de mayor necesidad del Rey en el huerto de Getsemaní, una vez más los doce se alinearon en niveles específicos de intimidad (si fue por decisión propia o por designio divino, no lo sabemos). Nueve se quedaron atrás en un lugar y los tres lo acompañaron otra vez al lugar de oración y agonía. Luego, Él se alejó un poco más, hasta que estuvo «a un paso», y comenzó a orar.

Todo esto nos muestra que están los que se encuentran en posiciones privilegiadas de intimidad, que pueden acercarse al trono de Dios en cualquier momento y en cualquier lugar. Estos hombres y mujeres son el equivalente de los «príncipes del consejo real», que tenían libre acceso al trono y al oído del rey. Tenían un rango, ejercían una responsabilidad y hasta desarrollaban una tarea «sacerdotal» a tiempo parcial a favor de los demás. Sin embargo, existe otro nivel en el protocolo de su presencia.

Hay algunos que lo aman simplemente por lo que Él es.

Juan, el discípulo amado, era un pescador, un hombre tosco cuyo tierno amor sacó lo mejor de sí. Amaba con pasión a Jesús y no dejaba de buscar más su corazón que su mano.

En el Evangelio que escribió, Juan llega a describirse como «el discípulo a quien Jesús amaba» y como el que recostaba su cabeza sobre el pecho del Maestro. Es probable que la relación íntima que Juan tenía con Jesús produjera, algunas veces, cierta envidia en los demás[25].

Una vez más, otro gran ejemplo de amor extravagante fue el de la mujer con el frasco de alabastro y el llanto incesante. Esta mujer, e incontables personas como ella, son la personificación de las palabras de Jesús cuando reprendió las críticas hacia la demostración desinhibida de amor de María:

—¿Ves a esta mujer? Cuando entré en tu casa, no me diste agua para los pies, pero ella me ha bañado los pies en lágrimas y me los ha secado con sus cabellos. Tú no me besaste, pero ella, desde que entré, no ha dejado de besarme los pies. Tú no me ungiste la cabeza con aceite, pero ella me ungió los pies con perfume. Por esto te digo: si ella ha amado mucho, es que *sus muchos pecados le han sido perdonados. Pero a quien poco se le perdona, poco ama*[26].

COMIENZA A SUS PIES, RÍNDELE CULTO HASTA LLEGAR A SU CORAZÓN

Cuando comienzas de la nada y lo adoras a Él que es todo, comienzas con humildad a sus pies y le rindes culto abriéndote paso hasta llegar a su corazón. Aunque no pides nada, recibes toda la abundancia de sus manos y toda su sabiduría durante el proceso. Esta es la adoración que rompe el frasco de alabastro, la clase de adoración que Dios no puede pasar por alto ni dejar sin respuesta[27]. Este es un cuadro perfecto de cómo deberíamos «acercarnos confiadamente al trono». *El protocolo del culto puede guiar a un intruso hasta la experiencia en la «zona del trono».*

El amor audaz de una adoradora perdonada, María Magdalena, la ubicó para llevar a cabo una misión única que requería que buscara a los discípulos varones que estaban desalentados y atemorizados. A ella, Cristo le susurró: «María, ve a decirle a los discípulos que todo está bien»[28].

El Señor siempre les ha susurrado secretos íntimos a los adoradores que rompen sus frascos de alabastro. Secretos que los discípulos tendrán que imaginárselos por su propia cuenta. ¿Te percatas de que Él les dirá a los adoradores cosas que no le dirá a nadie más? Puede susurrar a sus oídos debido a la intimidad del momento. La Escritura dice: «El SEÑOR brinda su amistad a quienes le honran»[29]. El lenguaje original parece implicar que puede tratarse de las cosas íntimas que se susurran los enamorados en un sofá.

A Él le encanta manifestar su gloria y revelar sus secretos en habitaciones llenas de la fragancia de nuestra adoración cuando rompemos el frasco de alabastro. En la majestuosidad de esos momentos, el aire está cargado con «presencia»; es como si Dios estuviera tan cerca que puedes cortar el aire.

Si alguna vez aprendes a actuar en el palacio y a reaccionar en la presencia del Rey, habrás llegado a dominar el protocolo que te dará acceso a Él.

RÍNDETE AL PROTOCOLO Y APRENDE LOS PROCEDIMIENTOS DEL REY

En toda casa existe un procedimiento bueno y otro malo de hacer las cosas. Ríndete al protocolo y aprende los procedimientos del Rey. A Ester le enseñaron «los procedimientos del palacio». Aprendió a caminar, a conversar, a inclinarse hasta la posición precisa y a moverse con majestuosidad en medio de una habitación atestada, de modo tal que ganó el favor de todos los que la veían y, en especial, el del rey.

Un día, durante un momento de ocio, me encontraba pasando de un canal a otro de televisión, cuando un programa me llamó la atención. Los productores de este programa se preparaban para «reformar» a una joven que soñaba con convertirse en modelo. Comenzaron por conectarla con un agente de modelos que le dijo: «Muy bien, te convertiré en una modelo, pero *debes escucharme*».

Lo primero que hizo el agente fue llevar a su protegida a un salón de peinados de primera. La joven lanzó un grito cuando entendió lo que el estilista le proponía y le dijo que no le gustaba. Las cosas quedaron en punto muerto hasta que el agente entró en escena y dijo: «Mira, tú eliges: O escuchas a estos estilistas que saben lo que hacen o haces las cosas como a ti te gusta. *¿Quieres ser una modelo o no?*».

De repente, se dio cuenta: *No se trata de lo que a mí me gusta. Esta gente comprende la intensidad de la mirada escudriñadora del público.* A esta altura les dijo: «Hagan lo que quieran».

Luego, el agente le dijo: «Te llevaré a un estudio donde alguien te enseñará cómo debes caminar». Ella se ofendió y dijo: «Yo sé caminar». Sin que se le moviera un pelo, el agente contestó: «No sabes *cómo caminar* en el lugar que *tendrás que caminar*. No puedes pisar fuerte y listo sobre el escenario». (Tampoco puedes pisar fuerte y listo por el palacio del Rey).

Literalmente, le pusieron un libro en la cabeza y le enseñaron a refinar sus pasos de tal modo que no pudiera menearse hacia delante o hacia atrás ni hacer que el libro se cayera debido a movimientos repentinos o carentes de gracia. Aprendió con exactitud qué debía hacer para girar y dar la vuelta como si estuviera en una pasarela.

Entonces el agente trabajó con su guardarropa y los accesorios de moda, y le dijo: «Mira, ese color no te sienta bien. Te ves mucho mejor con este color combinado con este otro». Siguieron adelante a lo largo de todo el proceso de rediseñar sus técnicas personales de maquillaje, las elecciones de la moda y el porte que debía tener en público.

En una oportunidad, la joven que quería ser modelo llamó a su madre por teléfono y le dijo: «Mamá, no sé si puedo hacer esto. Esta gente no me gusta. Intentan convertirme en otra persona». Cuando se quejó frente al agente, él le dijo: «Tienes toda la razón. No eras modelo y *estamos* tratando de convertirte en otra persona. ¿Quieres ser tú misma o quieres ser modelo?». (Algunos nos concentramos más en ser «nosotros mismos» que en ser adoradores).

Cuando todo estuvo dicho y hecho, la joven apareció frente a la cámara y dijo: «No puedo creerlo. Ahora me resulta natural caminar de esta manera. Me parece natural actuar así». Me sentí atemorizado ante el vívido contraste entre las imágenes de antes y después. Era una joven que ahora caminaba con seguridad, que comprendía el hecho de que todos los ojos estarían puestos en ella y que se estudiaría cada uno de sus movimientos.

Caminaba de manera diferente, hablaba de otra manera y su apariencia era distinta. Estaba lista para el público.

La pregunta que te hago es: «¿Estás listo para su presencia?».

Decide que deseas al Rey, luego aprende el protocolo de su presencia y dale a Él el primer lugar. Es hora de que el dedo de Dios talle sus iniciales en las paredes de carne de tu corazón. Nunca lo olvidarás. Con un movimiento del dedo, una ligera señal, ya eres una persona que pertenece a la residencia real. Muévete dentro del palacio y acércate al Rey.

Si llegas a quebrar abiertamente tu corazón y sigues el protocolo de la presencia del Señor al pie de la letra, descubrirás por ti mismo cómo Él puede convertir a una campesina en princesa... a un aspirante en adorador.

La experiencia de María, la que rompió el frasco de alabastro, ilustra el milagro transformador en el protocolo de la presencia del Señor:

> Ahora bien, vivía en aquel pueblo una mujer que tenía fama de pecadora. Cuando ella se enteró de que Jesús estaba comiendo en casa del fariseo, se presentó con un frasco de alabastro lleno de perfume. Llorando, se arrojó a los pies de Jesús, de manera que se los bañaba en lágrimas. Luego se los secó con los cabellos; también se los besaba y se los ungía con el perfume. Al ver esto, el fariseo que lo había invitado dijo para sí: *«Si este hombre fuera profeta, sabría quién es la que lo está tocando, y qué clase de mujer es: una pecadora»*[30].

Cuando dio el primer paso en la habitación, dijeron: «Si sabe qué clase de persona es, no permitirá que se le acerque». Entonces comenzó a producirse una increíble transformación a través de la adoración.

ÉL PUEDE ALTERAR TU DESTINO Y CAMBIAR TU REPUTACIÓN

Ella pensó que le lavaba los pies, pero mientras lo ungía, *Él limpiaba su reputación y transformaba su destino*. Nunca nadie más se refirió a ella en la Palabra de Dios como esa «clase de mujer [...] una pecadora». Jesús la inmortalizó como uno de los ejemplos supremos de un verdadero adorador. Cuando sigues el protocolo de su presencia y le adoras, el Rey puede alterar tu destino y cambiar tu reputación para siempre.

Pregúntale a la mujer del pozo. Después de unos minutos con Jesús en Samaria, estaba tan transformada que a pesar de su reputación arruinada, podía ahora regresar y guiar a todo el pueblo a la verdad, aun cuando no logró conservar sus cinco matrimonios antes de su encuentro con el Maestro[31]. ¡Qué transformación!

> DIOS NO HACE ACEPCIÓN DE PERSONAS, PERO *TIENE SUS* FAVORITOS.

¿Necesitas que tu destino se modificara? ¿Te gustaría que tu futuro cambiara? Por más descalificado que estés, por más que tus fracasos pasados te persigan, tu futuro es brillante si eres un adorador. Es la conclusión inevitable para cualquiera que descubre y sigue el protocolo de su presencia: *la adoración*.

La presencia de Dios *puede* modificar tu futuro si te conviertes en un adorador del Rey con el corazón quebrantado, con el frasco de alabastro roto y con un llanto fragante. Una vez que aprendes el propósito del aceite de la adoración guardado en tu corazón, te convertirás en un heredero real y en una princesa.

El Rey espera recibir tu adoración. Rompe el frasco de alabastro de tu corazón y derrama el precioso perfume de la alabanza y la adoración. ¡Derrámalo delante de Él!

Dios no hace acepción de personas, pero *tiene* sus favoritos. Hará algunas cosas por ciertas personas que no hará por otras. Los que aprenden las cosas que tienen el favor del Rey se pueden convertir en sus favoritos. ¡Cualquiera puede convertirse en un favorito! ¡Cualquiera puede convertirse en una Ester! Puedes sobresalir de la multitud. El Rey les responde a quienes han aprendido el protocolo de su presencia.

Han aprendido a dominar el arte de vivir como realeza. Este protocolo del palacio se basa por completo en la preparación y la adoración.

Cuando te acercas al Rey con amor y adoración, Él de inmediato responde a las peticiones más insignificantes de tu corazón. ¿Por qué? Porque no se las presentas desde la formalidad de la sala de la corte. No las gritas desde las torres de entrada.

> LA ADORACIÓN ES LA MANERA DE COMPORTARTE EN LA PRESENCIA DEL REY.

¡Avanza y sal de las puertas de acción de gracias! ¡Pasa por los atrios de alabanza! Entra al lugar de intimidad reservado para los verdaderos adoradores. Atraviesa el velo y entra al Lugar Santísimo, donde se encuentra su presencia. ¡La intimidad deja afuera a los intrusos!

La adoración es la manera de comportarte en la presencia del Rey.

CAPÍTULO 4

INTIMIDAD E INFLUENCIA

*Cómo la relación
derrota al protocolo*

Tal vez hayas escuchado decir: «No se trata de lo que conoces, sino de a quién conoces». Estas palabras no se encuentran ocultas en alguna parte olvidada de la Biblia, pero la verdad que contiene esta frase se demuestra en la Palabra de Dios de principio a fin. La influencia de los amigos íntimos y la familia se muestra en los hechos de todos los días en tu propia vida.

De vez en cuando tengo el privilegio de llevar a mis hijas conmigo durante los viajes. Ahora es más difícil, ya que son mayores y cada una tiene sus compromisos y actividades, pero yo sigo insistiendo en que me acompañen alguna vez.

No importa con quién esté hablando, hay ciertas cosas, o ciertas *caras*, que con seguridad atraen mi atención y reorganizan mis prioridades. Muchas veces me encuentro con dignatarios como parte de mis tareas. No obstante, si durante una de esas reuniones veo la cara irresistible de una de mis hijas espiando por una ventana o por una puerta un tanto abierta, me distraigo. Sé que tal vez no debiera hacerlo, pero es inevitable, ¡soy un padre que mima en exceso a sus hijas!

Quizá puedas adivinar qué sucede a continuación. Digo: «¿Me disculpan un momento? Ay, damas y caballeros, este... acaba de surgir algo importante que debo atender. Vuelvo en un instante».

¿Qué puede lograr que interrumpa una reunión importante? La aparición de la cara de alguien que amo, y el inmenso valor que le adjudico a esa persona me distrae de asuntos menores. El padre que hay en mí se detiene y reordena una prioridad por encima de las otras.

Esto no sucede simplemente porque alguien me presenta peticiones sobre la base de alguna obligación formal. No cambio mi agenda, no interrumpo conversaciones, ni suspendo reuniones solo porque alguien que tiene un título se presente con una idea muy buena. Sin embargo, con solo presentar su cara y su radiante sonrisa, mi hija me pide de manera poderosa que le preste atención, desde la *intimidad de la relación*. (Por supuesto, les he enseñado a mis hijas a que no me interrumpan sin necesidad, ni que hagan mal uso de sus privilegios de acceso, *esto no significa que siempre prestan atención a esa advertencia*).

No quiero decir con esto que reduzcamos el poder de las incontables promesas que Dios nos hace a los creyentes en su Palabra. Vivo de ellas, dependo de ellas y marco el curso de mi vida de acuerdo a ellas. En realidad, puedes tomar como referencia todos los códigos legales y las peticiones intercesoras que desees, con la intención de acercarte a Dios con una postura exigente. Sin embargo, ¡puede existir una manera mejor!

Señalando el capítulo y el versículo con el dedo, puedes decir con tono judicial: «Muy bien, Señor, ¡esto es lo que prometiste! Esto es lo que dice tu Palabra». Así es, puedes hacer las cosas de esta manera porque Dios *nos hizo* promesas y siempre *cumple* con la palabra que nos ha dado. También es cierto que en la Biblia leemos que hay momentos y lugares para presentarle peticiones y oraciones, y que *algunos momentos pueden ser mejores que otros*[1].

> PROTOCOLO del PALACIO
>
> 5. LA INFLUENCIA FLUYE DE LA INTIMIDAD Y EL ACCESO VIENE DE LA RELACIÓN.

Ester nos enseña que *la influencia fluye de la intimidad y el acceso proviene de la relación*. Podemos estar seguros de que Él no olvidaría lo que prometió; sus promesas están arraigadas en su amor hacia nosotros. En alguna parte leí que «de tal manera *amó* Dios [...] que *dio* [...]»[2]. Primero nos amó; después nos dio.

¿Alguna vez has llevado contigo a tus hijos cuando sales a hacer diligencias por la ciudad? A lo mejor les prometiste que les darías algún gusto si se portaban bien. ¿Te diste cuenta de que cada vez que se detienen, sienten la necesidad de recordarte el posible premio? Por lo general, lo enuncian así: «Papi, lo prometiste», o: «Papi, no te olvides de mi helado».

Aunque es del todo posible que *yo* lo olvide, nuestro Padre celestial *no lo* olvida. Si lo prometió, ¡quédate junto a Él y te recompensará!

Los constantes lloriqueos alrededor de sus promesas *pueden* ser incredulidad envuelta en un manto diferente. Hay una mejor manera de asegurarte de tu recompensa. Una buena relación y la permanencia durante todo el día cerca de tu Papi te garantiza tu momento de favor.

Esta es la *mejor manera*: la intimidad y la relación. Esto de revelar algo bueno y santo y luego seguir con algo todavía mejor y más alto tiene precedentes, *ha sucedido con anterioridad*.

El apóstol Pablo habla sobre las virtudes y los beneficios de todos los poderosos dones espirituales en 1 Corintios 12, pero termina el capítulo con estas palabras: «Ambicionen los mejores dones. Ahora *les voy a mostrar un camino más excelente*»[3]. Este antecedente de revelar algo bueno y santo y luego seguir con algo aun mejor y más alto *ya ha sucedido*. Luego lanza su inolvidable «capítulo del amor», en el que ensalza el incomparable amor de Dios revelado en *nuestras vidas diarias*. El amor es un camino mejor. *La intimidad con Cristo es más poderosa que las peticiones presentadas legalmente*.

¿Qué *puede* ser mejor que recordarle de manera formal a Dios sus promesas y reclamar los beneficios de esas promesas de acuerdo a su Palabra? Estoy de acuerdo con que las peticiones formales basadas en las firmes promesas de Dios son buenas y están bien, pero se nos dice que Dios conoce todas nuestras necesidades incluso antes de que se las digamos[4]. Lo cierto es que en cuanto susurras: «Abba... Papito»[5], Él responde con tierno amor: «¿Qué quieres, hijo? ¿Qué puedo hacer por ti, esposa mía?».

Cuando se me acercan representantes de ventas, empleados o funcionarios del gobierno para pedirme una rebaja, un aumento o algún otro documento o pago, es probable que les pida alguna justificación clara que respalde ese pedido. «Muy bien, tiene que demostrarme a qué quiere llegar. Demuéstreme dónde está el beneficio. Dígame por qué debo hacer esto, pues todavía no me convence».

En cambio, cuando mi esposa o alguna de mis hijas viene con una petición o un deseo, sucede algo diferente por completo. No tienen necesidad de probarme nada porque tenemos una relación íntima.

Es verdad, puedes señalar a Dios y decir: «Dios, ahora quiero que hagas esto porque tú dijiste en el capítulo 5, versículo 7 que así sería», o puedes ir *más allá* de los alegatos formales de la corte. Aquí es donde toda la ropa y las ceremonias del estrado del juez y sus consejeros legales cambian por una atmósfera relajada, reservada para la intimidad del espacio privado donde vive la familia.

RARA VEZ LOS FAMILIARES TIENEN QUE PEDIR ALGO

En la privacidad y la intimidad relajada de la residencia familiar, rara vez los familiares tienen que pedir algo. Tienen acceso a casi todo. El padre de la casa solo pregunta: «Bien, ¿qué puedo hacer por ti?».

Cuando buscas *su rostro*, ¡tu Padre celestial ve *tu rostro* e interrumpe los negocios del cielo para inclinarse y preguntarte cuáles son tus necesidades!

Ester nunca hubiera logrado lo que hizo al salvar al pueblo judío de la aniquilación si no hubiera ocupado un lugar de gran afecto y privilegio en el corazón del rey.

Al comienzo de su relación matrimonial con el rey Asuero, Ester tuvo un «simulacro» cuando su primo mayor y padre adoptivo, Mardoqueo, se enteró por accidente de un complot de asesinato que se llevaba a cabo.

Un día en que Mardoqueo cumplía sus funciones en el palacio, dos de los eunucos del rey, Bigtán y Teres, que eran guardias de la puerta del palacio, se enojaron con el rey y planearon una conspiración para asesinarlo. Mardoqueo se enteró y *le dio la información a la reina Ester, la que a su vez la transmitió al rey en nombre de Mardoqueo*. Se investigó el asunto, y se halló culpables a los dos hombres, los que luego fueron colgados en la horca. Todo esto fue debidamente registrado en *el libro de las crónicas del rey Asuero*[6].

La historia mundial sería muy diferente en la actualidad si Dios no hubiera plantado a su joven libertadora en la vida del rey Asuero de Persia. Dios trasladó a una virgen judía, huérfana y desconocida a un harén pagano y orquestó lo impensable cuando Asuero la escogió para que fuera su nueva reina.

Como reina de Persia, Ester tenía *acceso* al oído del rey en las cámaras reales. Recuerda: *La influencia fluye de la intimidad y el acceso proviene de la relación*.

LOS VIEJOS AMIGOS LE TEMEN A LA LLEGADA DE «LA JOVEN DE SUS SUEÑOS»

¿Cómo actúa esto en la vida diaria? Considera cuántas veces has visto que este caso en particular tiene lugar: Un joven que tiene un gran círculo de conocidos y un círculo menor de amigos íntimos, de repente conoce a «la joven de sus sueños».

Tal vez se ha relacionado o a salido con cinco, diez o cientos de mujeres en su vida, pero esta vez algo se apodera de su corazón y no lo suelta.

En cuestión de días, el avispero está revuelto porque de pronto este buen amigo ya no pasa tiempo con su viejo círculo como antes. A sus amigos más cercanos les puede resultar muy difícil que otra persona le consuma las horas e influya en sus decisiones.

Antes de comprometerse con los muchachos para «ir a jugar a los bolos», ahora debe preguntarle a *esa muchacha*. ¿Qué sucedió? Cuando este joven desarrolló una relación con esta joven, ella obtuvo un acceso privilegiado a su corazón y sus procesos de pensamiento.

A medida que el amor y el compromiso entre ellos se vuelve cada vez más íntimo (*no me refiero a intimidad física en este ejemplo*), la *influencia* de esta joven sobre las prioridades y elecciones del muchacho aumentan.

En la vida, esto es inevitable y también es la manera ineludible en la que debemos crecer en nuestra relación con Dios. No digo que una persona luche por quitar la atención de Dios sobre otros. Dios es Dios. Bien puede atendernos *a todos* al mismo tiempo, y ese es su deseo. Lo que quiero decir es que *con la relación viene el acceso y con la intimidad, la influencia*.

Moisés, el hombre que Dios eligió para liberar a los hijos de Israel del faraón, tuvo éxito debido a *su relación con Dios*, no a sus dones naturales, sus habilidades y ni siquiera su conocimiento de los *caminos* de Dios.

No se contentó con estudiar los «procedimientos» de esta fresca manifestación del Dios de sus antepasados; Moisés decidió *caminar con Dios en intimidad* hacia lo desconocido, y Dios lo bendijo con *una intimidad aun mayor*.

Con cada aumento de su intimidad con Dios, Moisés también recibió una mayor habilidad para *tener influencia* en las cuestiones de los hombres y las naciones, e incluso del corazón del Señor. Cuando Dios declaró que destruiría a los hijos de Israel por su incredulidad, Moisés intercedió a su favor y literalmente *lo persuadió* para que mostrara su misericordia. Aun así hubo consecuencias por sus acciones, pero Dios guardó a la nación[7].

Con la relación viene el acceso y con la intimidad, la influencia. Los momentos íntimos de Moisés con Dios produjeron los Diez Mandamientos, la Ley, y la dirección profética para alimentar y guiar a más de un millón de personas por un estéril desierto durante cuarenta años.

Moisés tenía comunión constante con Dios en la Tienda de reunión (*la relación se cultiva, no es automática*), y su relación creó *el acceso*. Pasaba largas estadías con Dios en el monte Sinaí y, cuando al final Moisés regresaba de uno de esos encuentros divinos, su rostro reflejaba la gloria brillante pero extinguible, de lo que quedaba de la presencia de Dios. Hasta *eso* era demasiado para los hijos de Israel[8].

Moisés se acostumbró al reflejo de la gloria de Dios que se acumulaba alrededor de la residencia de Dios, pero se quedó insatisfecho con los arreboles de la gloria. Deseaba *más*. Cuando Dios le ofreció bendiciones y poder, Moisés exclamó: «¡Muéstrame tu gloria! ¡Déjame ver tu rostro!»[9]. (Al final, se le concedió su petición *luego* de morir cuando tuvo comunión con Jesús cara a cara en el monte de la transfiguración)[10].

DIOS NO SE IMPRESIONA CON LO MEJOR DE LA HUMANIDAD

A Dios no le impresiona siquiera los mayores logros de los seres humanos, ¿y quién tiene la ilusión de ganarle a Dios en una batalla de voluntades, de dominación, conquista o riqueza? ¿Para qué mencionar, siquiera, la habilidad personal? Para decirlo de otra manera, la única forma de obtener acceso a *las cosas del reino de Dios* es mediante *una relación con el Rey*.

Repito, *con la relación viene el acceso y con la intimidad, la influencia*. Hasta el Rey de reyes, Jesucristo, obtuvo *acceso* al consejo, la fortaleza y la dirección celestial durante su ministerio terrenal mediante la vieja *relación* en oración con su Padre.

TODO LO QUE JESÚS HACÍA, DECÍA Y ENSEÑABA VENÍA DEL PADRE

Una y otra vez en los Evangelios vemos a Jesús apartándose de las multitudes para orar a solas y tener comunión con el Padre. Dejó en claro que todo lo que hacía, decía y enseñaba lo recibía del Padre. Su ministerio nació y se nutrió de la relación íntima de la que disfrutaba[11].

En *Desde la perspectiva de Dios*, muestro esta pepita de oro de mi tesoro escondido de encuentros entre padre e hija:

> Mis hijas saben que si hago un trato con ellas, estaré feliz de darles cualquier cosa en la que nos hayamos puesto de acuerdo con respecto a su mesada. Sin embargo, mis hijas han aprendido «un camino más excelente». No me piden una mesada; *lo único que piden es que papá las lleve de compras*[12].

Una vez esto pasó durante una conferencia y la petición de mi hija llegó ante varios amigos de mi ministerio. Uno de estos hombres no pudo evitar hacerle una pregunta a esta hija en particular, con la esperanza de distraer su atención hacia otra solución para su necesidad de salir de compras. Le dijo: «No querrás decir que quieres salir de compras con tu padre, ¿verdad? ¿Por qué no esperas y vas de compras con tu madre?». Ella le dijo sin rodeos: «No. Prefiero ir de compras con mi papá». Y mi amigo cayó justo en la trampa cuando hizo un segundo intento de persuasión sutil.

Fue entonces cuando ella le presentó la pepita de oro de la sabiduría por excelencia explotada por mis tres hijas completamente modernas: «No, cuando salgo de compras con mi mamá, tengo que rogarle o convencerla por cada cosa que quiero. Cuando voy de compras con papá, *con solo mirar algo, lo obtengo*». (No me tomaré la molestia de describir la cara con la que me miró el pastor a esta altura; él nunca ha estado en mi lugar cuando las tres jovencitas Tenney andan pavoneándose con sus prendas nuevas por la cocina durante las dos últimas décadas)[13].

Ester aprendía esta misma lección. Todos los eruditos de la Biblia y los teólogos parecen estar de acuerdo en que el libro de Ester es un libro que habla de la providencia de Dios. Él se mueve para cuidar de su pueblo mucho antes de que ellos se den cuenta de que necesitan su ayuda.

Si es cierto que *con la relación viene el acceso y con la intimidad la influencia*, los judíos se encontraban en serios problemas en el momento en que Amán apareció en Persia. Este extranjero se las había ingeniado para enganchar el puesto número dos en todo el reino y era evidente que estaba por completo en contra de los judíos. Como refugiados con una posición social limitada, los judíos parecían impotentes para protegerse a sí mismos.

El único ser humano sobre el planeta que tenía poder para salvar a los judíos en aquel momento era el rey. Aunque existen indicios claros de que el padre del rey Asuero le había transmitido su actitud positiva hacia los judíos desde su niñez, el libro de Ester indica que se encontraba bien avanzado en la posición de dejarse vencer por los sentimientos antisemitas de Amán[14].

La limpieza étnica parece ser la última tormenta que se levanta en el horizonte de los asuntos humanos actuales, tal como sucedió en el tiempo de Ester. *Parecía* que no había nadie que tuviera acceso al rey, que estuviera íntimamente conectado con él, que se preocupara por el pronóstico para el pueblo judío. El futuro se veía sombrío para quienes al parecer no tenían amigos en los lugares altos.

DIOS PLANTÓ A SU «SALVADORA» INSÓLITA JUSTO DEBAJO DE LA NARIZ DEL REY

Dios vio con antelación todo lo que se venía. Recuerda: *Con la relación viene el acceso y con la intimidad, la influencia*. Había llegado el momento en el que Dios entraría en acción y plantaría a su insólita, pero señalada «salvadora», justo debajo de la nariz del rey y del archienemigo de los judíos. Ester entró en escena.

Según la inamovible ley de los medos y los persas, no había esperanza para los judíos residentes en el Imperio Persa. No importaba dónde vivieran, desde Jerusalén hasta Etiopía o India, y desde Babilonia hasta Susa, la muerte los encontraría.

Amán odiaba a los judíos y tenía acceso a la presencia del rey mediante la relación política. Dominaba el arte de presentar peticiones formales basadas en la ley, los derechos y los antecedentes, desde su posición privilegiada en la corte del rey.

Satanás es el acusador de los hermanos. Su distorsionado sentido de justicia dice: «*Yo los vi* haciendo esto o aquello; son culpables. ¡Aniquílalos!».

¡Lucifer conoce la ley! Pero yo conozco al Abogado. Nadie tiene mayor acceso a la intimidad con el Padre que mi Abogado, Jesucristo, el justo.

¡*Realmente depende de* a quién conoces! Se para en la corte del cielo y refuta los cargos, ¡alegando que la multa se pagó!

El problema de Amán era similar en el sentido de que olvidó un factor de suma importancia en cuanto a la vida en la corte del rey: *Las palabras susurradas en el lugar de intimidad pueden ser más poderosas que las peticiones que se gritan desde la corte.* Por cierto, *las palabras susurradas sobre la almohada de la intimidad real pueden cambiar el rumbo del futuro.*

Dios intervino para abrir un camino donde no lo había. Con cuidado preparó a Ester desde su nacimiento para entrar en el mundo del rey «por la puerta de atrás» de la casa real, y la ungió para que se ganara el favor del rey y, mediante la intimidad, ganara *el acceso a su corazón.* Esto le dio a Ester más influencia que la que Amán jamás hubiera podido esperar tener. ¿Sabes que puedes tener acceso al corazón del Rey?

Recuerda: *Con la relación viene el acceso y con la intimidad la influencia.* Esto es más cierto en el reino de Dios que en ningún otro lugar; allí, nuestra relación íntima con Él mediante la adoración nos da acceso a su trono e influencia en el mundo.

La adoración puede crear tu momento, ¡tu oportunidad de cambiar el destino!

Dale el primer lugar a su presencia; dedícate a edificar tu relación con el Rey. Nunca olvides que cuando buscas *su* rostro, Él recuerda el *tuyo.* La relación tiene una recompensa: ¡*Acceso!*

A menudo, la influencia que tienes sobre la gente es directamente proporcional al *nivel de intimidad* que tienes con

> LAS PALABRAS SUSURRADAS EN EL LUGAR DE INTIMIDAD PUEDEN SER MÁS PODEROSAS QUE LAS PETICIONES QUE SE GRITAN DESDE LA CORTE.

> LA ADORACIÓN TE ABRE PASO A UN LUGAR DE INTIMIDAD. ¡UN SUSURRO BIEN UBICADO PUEDE CAMBIAR TU VIDA!

ella. No te consientas justificándote porque tienes una «personalidad distante». A la última persona que quieres hacerle un llamado de larga distancia es a Dios. La adoración te abre paso a un lugar de intimidad. Un susurro bien ubicado puede cambiar tu vida, ¡y hasta puede salvar a una nación!

CAPÍTULO 5

CORTEJAR A UN REY

¿Qué se da a un hombre que tiene de todo?

Imagina la escena de una joven campesina[1] llamada Jadasá cuando vio al dignatario ricamente vestido del palacio del rey que venía por la calle con guardias armados a la zaga. Hacía el recorrido según una lista de nombres y direcciones. Ahora, como agente del trono, se encontraba en camino hacia la casa de Mardoqueo para «recoger a otra de las doncellas del rey».

Como el ama de casa en el mercado selecciona solo las frutas más hermosas, este dignatario llevaba consigo una lista de compras reducida solo a las vírgenes más hermosas.

Ester había captado la atención de los vigilantes ojos de los exploradores del palacio. Le exigieron que les diera su dirección y que esperara a alguien que la escoltaría hasta el palacio en unos pocos días. Huir era inútil; la encontrarían. Además, su amado Mardoqueo también sufriría las consecuencias si huía.

Los días de espera también fueron días de aprendizaje. Mardoqueo la instruyó todo lo que pudo en el protocolo del palacio.

Ella sabía que había llegado el momento. Las semanas en que los oficiales investigaban rumores y entrevistaban doncellas habían llegado a su fin. Ahora, escoltaban a las «afortunadas» hasta el palacio.

No se podía hacer otra cosa más que obedecer el decreto del rey y enfrentar la situación. La Biblia solo dice «fue llevada»[2]. Dudo que haya luchado o siquiera se haya resistido, pues no hubiera servido para nada y hasta hubiera sido peligroso. Mardoqueo le dijo a Jadasá que no revelara su herencia judía, así que tenía que tener cuidado de no atraer innecesariamente la atención hacia ella[3].

Cómo y cuándo se ganó el nombre «público» de Ester, nadie lo sabe. Tal vez fue de la misma manera en que los nombres de Daniel, Ananías, Misael y Azarías se cambiaron sin resistencia a Beltsasar, Sadrac, Mesac y Abednego. Jadasá se convirtió en Ester[4].

Los agentes del rey se esparcieron por las ciento veintisiete provincias del reino. Todos suponían que a los enviados del rey Asuero les resultaría muy difícil encontrar a alguien que igualara la belleza de la reina Vasti. A nadie le pasó por la mente que lograrían encontrar a otra que superara su apariencia increíblemente bella.

Sin embargo, ninguno de los agentes esperaba encontrar en verdad una real y pulida sustituta de la reina Vasti aguardando por ellos, preparada y lista para casarse con el rey. No buscaban la perfección. ¡Buscaban el potencial!

A medida que la red del concurso de belleza se extendía por las veintitrés naciones y las incontables culturas que incluían esas naciones, los hombres del rey levantaron una cosecha de las jovencitas más promisorias que habitaban bajo la sombra del Imperio Medo-Persa. (Es probable que algunos príncipes emprendedores, o de esos padres que suelen andar de cabildeos, insertaran políticamente a sus hijas en el proceso).

Cuando estas jóvenes vírgenes se trajeron de las lejanas campiñas a fin de prepararse para su «cita a ciegas» con el rey, solo un puñado de ellas debió haber visto alguna vez al poderoso rey Asuero. Es muy probable que esas pocas vivieran en Susa, donde quizá lo vieran en una procesión real desfilando por la ciudad en camino a un viaje de cacería real o luego de una victoria militar.

Estamos casi seguros de una cosa: el rey también tenía una cita a ciegas con el destino. No sabía qué aspecto tenía ninguna de estas mujeres, *pero él buscaba una nueva reina.*

ESTER SABÍA QUE SOBRE ELLA
SE CERNÍA LO INEVITABLE

Ester y su guardián, Mardoqueo, sabían que lo inevitable se cernía sobre ellos. Cuando los agentes del rey fueron a buscarla a ella y a las otras de su zona, no creo que las arrastraran hacia el palacio pataleando y gritando. Es probable que la Ester que llegaremos a conocer pensara: *Tengo que ir, así que iré*.

Cuando a Ester la llevaron junto con las otras vírgenes, creo que (1) solo se sometió a su destino; y (2) *no se dio cuenta* de que daba ese paso del destino divino debido a lo que había orquestado Dios (que se vio con claridad *más tarde* en su vida).

En el período posterior a su selección y durante el tiempo del «concurso de belleza», Ester se tuvo que preparar de una manera poco habitual. Era necesario quitar de su apariencia externa, de su manera de hablar y de sus modales cada rasgo de la herencia judía. Esto debe haber sido más difícil de lo que uno puede imaginar.

En muchas ciudades internacionales te encuentras con vendedores ambulantes o con estafadores de bajo nivel cuyo propósito principal es quitarles de mala fe el dinero a los turistas. Estas personas tienen la habilidad única de distinguir con precisión tu nacionalidad mientras desarrollan sus discursos de ventas: «Eh, oiga americano. ¿Quisiera...?». Es asombroso, pero muchas veces pueden determinar si eres canadiense, español o alemán, por ejemplo, debido a la clase de zapatos que llevas en los pies. Las conexiones culturales no se esconden con facilidad.

En circunstancias normales, hubiera sido fácil para los persas de cualquier rango o posición identificar a Ester como judía a partir de su idioma, su vestimenta y sus modales. Tal vez hasta las joyas que llevara hubieran revelado su identidad judía.

Desde el momento en que el gran concurso persa tuvo lugar en Susa, la capital de verano del momento, era evidente que cada persa se consideraría normal y todo lo demás, no. La primera tarea de Ester fue ocultar todo lo que la identificara como una doncella judía, cambio muy significativo para una joven criada en un antiguo hogar judío. Ni siquiera podía darse el lujo de seguir usando las sandalias que tenía en los pies, y mucho menos la vestimenta de su cuerpo, para hacer desaparecer su origen étnico.

Ester no tenía idea de cómo cortejar a un rey, pero Dios sí. Esta antigua tradición de ganar el corazón del ser amado era diferente por completo al método alocado y al azar al que los modernos llamamos «citas».

En el noviazgo, el objetivo es ganar una promesa de matrimonio al establecer una relación; el objetivo definitivo es la unión permanente mediante el compromiso. En tiempos bastante recientes, el noviazgo se ha sustituido con las citas, la práctica de «salir y probar» muchos pretendientes con la esperanza de «encontrar el candidato que mejor se adapte». El énfasis popular de las citas se coloca casi siempre en fugaces momentos cumbres románticos, en lugar de hacerlo en el desarrollo de relaciones profundas en las que los individuos se preocupan el uno por el otro.

«Cortejas» a alguien dentro de los límites y las pautas del protocolo de comprensión mutua. Juntos, las dos partes pasan tiempo en actividades sociales planificadas con antelación, casi siempre en el hogar de alguno de los dos. A menudo, estos acontecimientos se controlan o administran por terceros como los padres, los chaperones o, como en el caso de Ester, *los eunucos del rey.*

Como dije, estoy convencido de que Dios orquestó la preparación inicial de Ester desde su nacimiento y a través de su niñez. La Biblia dice que Ester «tenía una figura atractiva y era muy hermosa»[5]. El término hebreo que se traduce como *atractiva*, se refiere a la belleza externa, y parece que el significado literal del término *hermosa* es que Ester era «buena de pies a cabeza»[6], lo cual describe su belleza interna.

UN AÑO PARA UNA NOCHE

Repito, por más figura atractiva y muy hermosa que fuera Ester, así y todo no era lo suficiente buena. Por más increíble que parezca, su preparación

final para una noche con el rey le llevó doce meses de aprendizaje intensivo. *Un año preparándose para una noche.*

De parte de los oficiales del rey hubiera sido una tontería traer a alguna de una granja y plantarla ante Asuero para que la joven balbuciera con
torpeza: «¡Hola, rey!». En especial, si todavía tenía suciedad debajo de las
uñas o si sus ropas olían a tierra.

Cada candidata a novia se sometía a una extensa preparación a fin de
quitar cualquier olor, hábito, imperfección o mancha que estuviera fuera
de lugar ante el trono del gran gobernante.

A Ester la asearon, la frotaron y la sumergieron en hierbas y especias
para una limpieza especial. Le dieron rienda suelta para que se vistiera
con cualquier ropa hermosa que escogiera y le enseñaron a caminar y a
moverse como si perteneciera a la realeza.

Que se pasaran doce meses con especias no quiere decir que lo único
que hacían era darse baños de aceite. También las *frotaban* con ellos[7].
Esto era una *especie* de proceso de exfoliación antiguo. ¿Te imaginas la
dulzura del olor que tenía y lo suave que era su piel?

Como parte de las obligaciones de mi ministerio, muchas veces viajo a
diversos lugares del mundo. Algunas de las culturas en las que paso
mucho tiempo parecen tener una debilidad especial por el ajo. Esta espe-
cia se conoce por poseer beneficios poderosos para la salud, ¡pero también trae aparejado un olor penetrante! Me ha llamado la atención que
aunque la gente de estas culturas tenga un *aliento* fresco, el olor a ojo
parece salirles por los *poros*. Es probable que el proceso al que se sometiera Ester incluyera una limpieza interna tanto como externa, una antigua forma persa de lo que ahora llamamos un programa desintoxicante.
Hasta donde sabemos, les cambiaron la dieta.

Recuerda, a la joven Ester la sumergieron en los baños de aceite de
especias amargas y dulces para transformar la fragancia misma de su cuerpo. Debes tener en cuenta que este aceite era el del *rey*, una fragancia
exclusiva. Te sumerges en el aceite del rey para oler como el rey.

Cuando nos sumergimos en *sus* aceites de arrepentimiento y rendición completa, acompañados con la acción de gracias, la alabanza y la adoración, *cambiamos* nuestro hedor terrenal por la fragancia celestial. En realidad, podemos comenzar a tener olor a cielo. La Escritura dice con respecto a los discípulos que la gente se daba cuenta de quiénes eran porque habían estado con Jesús. Me pregunto si también podríamos decir que se daban cuenta de quiénes eran porque olían como Jesús.

Es irónico, pero este cuadro se hace eco de un decreto real emitido por el padre de Asuero, el rey Darío, en el que autorizaba el apoyo a los sacerdotes levitas para que restauraran la adoración tal como se hacía en el templo de Jerusalén y en el cual los anima en una proclamación casi profética:

> Todos los días, sin falta, deberán suministrarles becerros, carneros y corderos para ofrecerlos en holocausto al Dios del cielo, junto con trigo, sal, vino y aceite, y todo lo que necesiten, según las instrucciones de los sacerdotes que están en Jerusalén. Así podrán ellos ofrecer *sacrificios gratos al Dios del cielo* y rogar por la vida del rey y de sus hijos[8].

Ester se sometió al protocolo del palacio por una razón: *La única manera de transformarse y convertirse en una novia aceptable para el rey era sometiéndose al protocolo del palacio, ¡incluyendo la inmersión en aceite!*

En el cuerpo de Cristo, experimentamos la transformación cuando la unción de Dios desciende sobre nosotros. Si lo entendemos de esta manera, debería decir que la unción es para Él, ¡no para nosotros![9] El aceite está *en* nosotros, ¡pero es *para* Él!

El rey les proveyó aceite y especias a las doncellas para que dejaran de ser campesinas con olor terrenal y se convirtieran en princesas aromáticas. Recuerda: Cuando el Señor derrama su unción fragante sobre ti, es para que Él, en su santidad, quiera quedarse en la misma habitación. Es entonces cuando comienzas a oler menos a terrenal y más a celestial.

PERDIDOS EN LA FRAGANCIA DEL MOMENTO

Nuestro problema es que muchas veces nos quedamos tan atrapados y perdidos en la fragancia del momento que nos olvidamos por completo del propósito que hay detrás de ella. Es como si danzáramos hasta llegar al velo, la línea divisoria entre lo terrenal y lo celestial, pero nunca entráramos en la presencia de Dios. Como escribí en mi libro *En la búsqueda de Dios*[9] (sic):

> La recámara del Rey, el Lugar Santísimo, espera a los ungidos. El aceite de la unción era derramado sobre todas las cosas en el Lugar Santísimo, *incluyendo las vestiduras del sacerdote.* Luego tomaban «perfume en polvo» para ungir el ambiente.
>
> *Después tomará* (Aarón y sus sucesores) *un incensario lleno de brasas de fuego del altar de delante de Jehová, y sus puños llenos del perfume aromático molido, y lo llevará detrás del velo.*
>
> *Y pondrá el perfume sobre el fuego delante de Jehová, y la nube del perfume cubrirá el propiciatorio que está sobre el testimonio, para que no muera.* (Levítico 16:12, 13 [RV-60])

> A VECES EL REY TE HACE ESPERAR SOLO PARA PURIFICAR EL RESULTADO.

Bajo las ordenanzas del Antiguo Testamento, la última cosa que el sumo sacerdote hacía antes de entra al Lugar santísimo, era ubicar un puñado de incienso (símbolo de la unción) en un incensario y meter sus manos y el incensario a través del velo para producir una densa cortina de humo. ¿Para qué? Para «... cubrir el propiciatorio, para que (el Sumo Sacerdote) no muriera» (Levítico 16:13b). El sacerdote tenía que provocar humo suficiente para camuflar o esconder su carne de la presencia de Dios[10] (sic).

En una era de gratificación instantánea, la paciencia frente al proceso de Dios es un producto poco común. El hecho de que a estas doncellas las tuvieran en espera durante doce meses, es probable que frustre gran parte de nuestra teología moderna. Tal vez esto también ensanche nuestra comprensión de la expresión «dama de honor»[11].

El período de doce meses de espera también lograba otro objetivo. Si ocurría que alguna de las jóvenes estaba embarazada, ¡sin duda se revelaría! Este período aseguraba que todo lo que naciera fuera del rey. *A veces el Rey te hace esperar solo para purificar el resultado.*

«¿QUÉ HACE, PASTOR?»

Recuerda, Ester pasó todo un año preparándose para una noche con el rey. Nos sentimos molestos si no tenemos un «avivamiento» luego de una semana de ayuno o de una serie de reuniones especiales de adoración. Los líderes de las iglesias suelen pagar un precio muy alto si perseveran en conducir reuniones especiales de adoración todos los viernes o sábados por la noche durante seis años. Los críticos los acosan con la pregunta: «¿Qué *hace*?».

Es difícil cuantificar el hambre de verdad y el deseo ardiente por más de Dios. Muchas veces causa que los individuos creyentes y congregaciones enteras actúen y adoren más como Bartimeo, gritando desesperados desde una zanja polvorienta en Jericó a fin de que Jesús les escuche, que como los fariseos que oraban de manera pontificia, orgullosos, en los escalones del templo. Uno halló favor gritándole a Jesús «en braille»... ¡los otros se lo perdieron con los ojos bien abiertos!

Los intentos de traducir estas acciones del corazón en fórmulas concretas o reglas para el avivamiento, casi siempre se convierten en rituales religiosos vacíos. Por lo general, esto no tiene nada que ver con la adoración ofrecida *en espíritu y en verdad* que busca Dios[12].

Deberíamos aplaudir y alentar a cualquier congregación que esté dispuesta a buscar el rostro de Dios en arrepentimiento, alabanza y adoración en cincuenta y dos reuniones adicionales por año, durante seis años, o aunque sea, seis meses. (No me sorprendería si me enterara de que Dios se deleita en ver cincuenta y dos *minutos* de adoración extra desinhibida en muchas de sus iglesias).

¿QUÉ TIENEN QUE VER EL HAMBRE Y LA SED CON DIOS?

Es difícil trasladar por escrito a un programa establecido una inmersión preparatoria en la adoración como esta. *La pasión no se puede programar*. Ni siquiera estas palabras son una fórmula ni una recomendación, pues el avivamiento no se puede «producir» mediante ninguna ecuación. Se trata de demostrar un hambre y una sed genuinas por Dios y su reino. ¿Qué tienen que ver el hambre y la sed con Dios y la iglesia? Pregúntale al rey David.

Como el ciervo brama por las corrientes de las aguas, así clama por ti, oh Dios, el alma mía. Mi alma tiene sed de Dios, del Dios vivo[13].

Un alma saciada bebe a sorbos; ¡un alma desesperada se toma todo de un trago! ¡Es probable que el «jadeo» no encaje muy bien en los programas de muchas iglesias modernas!

> **SI QUIERES CONVERTIRTE EN REINA, PRIMERO DEBES CORTEJAR AL REY.**

¡No aceleres el proceso! Bebe con lentitud y ansias...

Ya sea que hablemos de Ester en el pasado o del pueblo de Dios en el presente, no pasamos así porque sí de un lugar de campesinos a la posición de princesa. Si a Ester le llevó un año prepararse para pasar una noche con el rey de Persia, ¿cómo debería prepararse la iglesia para su encuentro con el Rey de reyes? *Nunca* debemos subestimar el potencial de una noche.

Recuerda: Solo se necesita una noche para cambiar tu destino. Un simple encuentro con Dios puede cambiar tu futuro. Unos simples segundos en la presencia manifiesta de Dios convirtieron a un asesino llamado Saulo en un mártir llamado Pablo. Un encuentro con Dios puede cambiar tu vida para siempre. No lleva mucho tiempo, pero *debes* prepararte si deseas estar listo cuando suceda. Nunca subestimes el potencial de una noche, pero *tampoco nunca subestimes la preparación necesaria para esa noche.*

Ester se preparó a fin de estar lista. Se esforzó mucho para dominar el arte de convertirse en princesa. Si debes «cortejar» a un rey, debes aprender a actuar como una princesa. Eso incluye aprender a *caminar como una princesa.*

Los pisos y las superficies del palacio del Rey son suaves y están hechos de materiales pulidos y de gran valor, a diferencia de las calles polvorientas y de los senderos rocosos de afuera. En el palacio, uno debe tener cuidado de no «resbalar». Los pasos orgullosos y la arrogancia resultan muy ruidosos y no se ven bien aquí, como los que se dan con botas con tachuelas... todos deben caminar con suavidad y humildad delante del Rey de reyes. Las botas resonantes quizá se necesiten dentro de una atmósfera de guerra fuera del palacio. Dentro del palacio, es necesario tener un calzado suave, una postura de oración y un acercamiento en humildad. Todos los caminos conducen a Él a través de la cruz. Algunos van directamente, otros se acercan con más lentitud y de maneras tortuosas, pero todos deben seguir el protocolo de su presencia. Dios es santo, pero nosotros no lo somos, a menos que Él nos haga santos.

Así como a Ester la prepararon y transformaron para que actuara y oliera a princesa, Dios también ha llamado a la iglesia para que sea su esposa. Si quieres convertirte en reina, primero debes cortejar al Rey.

Cortejar al Rey significa darle prioridad a sus necesidades, no a las tuyas. En una sociedad llena de una mentalidad en la que «yo» estoy primero, esta cualidad es sencilla pero escasa. El Rey dice que todo tiene que ver con Él, *¡y así es!* ¡Dios tiene esta idea increíble de que la iglesia es para Él!

REPULSIVO *EN COMPARACIÓN* CON LA FRAGANCIA QUE RODEA AL REY

Es poco probable que Ester viniera de un área rural y que no tuviera algo de olor desagradable a establo. Aunque tuviera la marca aromática más agradable de su vecindario, en comparación con las fragancias que rodeaban al rey y sus cámaras, hasta su mejor esencia debe haber sido repulsiva para aquellos acostumbrados a la corte real.

¿Te imaginas a alguna participante del concurso de belleza arrastrando con suavidad los pies delante de la presencia opulenta del rey de Persia, con las mejores ropas del lugar, pero todavía con el hedor de las fragancias ordinarias de una clase más baja? Cuando una verdadera princesa entra en la habitación, todos a su alrededor deben percibir algo nuevo en el aire: una fragancia dulce e incitante. Es una fragancia reservada para el rey y para nadie más que él. En el reino de Dios, esta fragancia de gran valor es la alabanza y la adoración que le ofrecemos desde el corazón en espíritu y en verdad.

Cuando personas de diferentes culturas viajan en el ámbito internacional, tal vez sientan que algunas casas que visitan tienen olores peculiares. No se debe a que la gente que viva en esos lugares está especialmente sucia. Estos olores tienen que ver con lo que comen y los estilos de vida que llevan.

Si alguno de la zona agrícola visita a amigos que se encuentran en la industria comercial del pescado a lo largo de la costa del Atlántico o en el noroeste del Pacífico, es probable que se pregunte si alguna vez logrará librarse del olor a pescado.

Los que viven en las costas también pueden tener algunos comentarios interesantes sobre las granjas de cerdos, las fincas ganaderas, las vaquerías y las granjas avícolas que se encuentran en la parte central de Estados Unidos.

Aunque estos olores pueden ser perfectamente aceptables en su zona o en el ámbito del trabajo de todos los días, en algunas atmósferas exclusivas pueden estar mal considerados.

Tenía un amigo pastor cuya pasión era pescar. Una vez, mientras disfrutaba de un día bien merecido en el agua, de repente se acordó de una boda que al parecer debía oficiar esa tarde. Se apuró a llegar a la playa, condujo como un loco hasta la iglesia y llegó justo a tiempo para lavarse las manos y ponerse un traje para emergencias que siempre dejaba en su oficina.

Por fuera parecía estar bien. Suspiró aliviado, pero entonces, cuando se encontraba entrando al lugar de la boda, su esposa le dijo que «olía a pescado». Humillado, trató de atomizarse colonia a fin de cubrir el olor, ¡pero lo que necesitaba *de verdad* era una buena zambullida!

Pasa tiempo sumergido en la atmósfera ungida de la adoración. Si tratas de ganar el corazón del Rey, será necesario que hagas algunos cambios. Espera en el Señor y aprende a cortejar al Rey. Tal vez nuestra fragancia terrenal no sea desagradable para los que viven con nosotros, ¡pero no es a ellos a los que perseguimos!

Dios dispuso que la esposa del Cordero huela a princesa, pero también se espera que camine como una princesa. El Rey te da una nueva canción y una nueva manera de pensar para formar un lenguaje nuevo de fe, de esperanza y de gozo en el nuevo reino.

Ester tuvo que aprender una nueva manera de dirigirse a los que la rodeaban. Le enseñaron a hablar como una reina antes que como una campesina. Para que seas bienvenido en el palacio debes aprender a andar como se espera que andes y a hablar como se espera que hables. La realeza hasta tiene que aprender una nueva manera de dirigirse a los enemigos, usando toda la autoridad que se les ha dado. Donde una vez Ester se sintió acobardada ante sus enemigos, o al menos tuvo que bajar la mirada o hacerse a un lado, ahora debía mirar a los ojos como una gobernante, un miembro privilegiado de la corte real y uno de los íntimos del rey.

No me refiero a la jerga religiosa ni a los mismos clichés de siempre. *La práctica de la falsa moralidad puede impresionar a los demás, pero ofende al Rey.*

SE SUAVIZÓ TODA ASPEREZA,
SE ELIMINÓ TODA MANCHA

Ya sabes que Ester pasó *todo un año* bañándose cada noche sumergida en aceites fragantes y en especias dulces, pero el chambelán también exigía que se sometiera a tratamientos corporales especiales como preparativo para su inminente encuentro con el rey.

Se suavizaron todas las asperezas, se quitaron todas las manchas y, según la tradición persa, es probable que le quitaran también todo el vello del cuerpo. Como parte de la preparación del protocolo, hasta *comía* ciertas especias como la mirra.

Ester era de buen parecer, ¿y puedes imaginar cómo olía luego de sumergirse en esos aceites fragantes durante un año? Es probable que las fragancias exudaran de cada poro de su piel, de su cabello y hasta de su ropa. ¡Hasta es probable que pudieras sentir su perfume mucho antes de que la vieras acercarse!

Fuera donde fuera dentro del complejo real, me imagino que todos los jóvenes que se las ingeniaban de alguna manera para acercarse a ella se quedaban fascinados ante su belleza y se sentían atraídos por su dulce fragancia.

Históricamente, es probable que estuviera separada de forma estricta de todos los hombres, excepto de los eunucos del rey. *¿Y si* uno de los jóvenes más impetuosos de la corte del rey se acercaba y se animaba a pretenderla?

—Hola, Ester. Hueles bien. Ven aquí, conversemos.

—Lo lamento, no puedo hablar contigo en este momento.

—Bueno, pero necesitamos hablar.

—No, no puedo.

—Pero hueles bien.

—No es tu aceite ni tu fragancia. Tal vez huela bien para ti, pero el aceite fragante proviene *del* rey y es *para* el rey.

SOLO RECUERDA EL *VERDADERO* PROPÓSITO DE LA UNCIÓN

Cuando dejamos de lado nuestros programas religiosos personales el tiempo suficiente como para adorar a Dios, muchos descubrimos que adquirimos una nueva fragancia: nos ungieron con su Espíritu. El aceite de la unción del Rey te hace predicar mejor, te hace enseñar mejor, te hace cantar mejor. El poder de su unción es tan fuerte que hasta hace que te veas mejor y huelas mejor ante los demás.

Solo recuerda que el *verdadero* propósito del proceso de la unción es prepararte para la presencia de Dios y transformarte de campesina en princesa.

Qué sucedería si me acercara a una dama sentada en la primera fila de una reunión, extendiera mi mano hacia ella y le dijera:

> NO COQUETEES CON ENAMORADOS DE MENOR CATEGORÍA; RESÉRVATE PARA EL REY.

—Hola, ¿puede sentir esta fragancia?

—Sí, es muy agradable. Me gusta.

—Es mi colonia. No me la puse para usted, me la puse para mi esposa. Tal vez huela bien para usted, pero es el resultado *secundario* del esfuerzo que hago para oler bien para mi esposa.

Algunas veces, si no tenemos cuidado, nuestras maravillosas reuniones en la iglesia se pueden convertir en fiestas espirituales para oler colonias o solo en otro mostrador de la tienda de la alabanza. Nos maravillamos y nos deleitamos en la unción del cantante, del coro o del predicador. Es muy fácil que olvidemos que todo el propósito de la unción es prepararnos para la presencia del Rey.

Dios está cansado de vernos prostituir su unción para nuestros propósitos. Recuerda que el aceite del Rey es solo para la presencia del Rey. Debemos dejar de prostituir la unción.

Repito que el verdadero propósito de la unción no es hacer una buena impresión, parecer bien, u oler bien a la gente. Estos son solo sus subproductos, pero el propósito real es merecernos su favor en la recámara del Rey. Nuestra carne tiene un hedor fuerte ante el Rey, y la unción nos hace aceptables ante él. ¡Es de Dios el proceso de convertir campesinas en princesas y novias potenciales en esposas! [sic][14].

CAMUFLA EL HEDOR

Deberíamos estar agradecidos que Dios nos unja para cantar, testificar, servir como diáconos o para predicar; pero recuerda que el verdadero propósito de la unción es camuflar el hedor de la carne humana a fin de que el Rey pueda permanecer en tu presencia y que se nos permita ser suyos[15].

No se trata de cortejar el favor de la carne ni de intentar alcanzar de forma exclusiva la aprobación de los hombres. ¡Se trata de cortejar al Rey y *hallar su favor*!

No coquetees con enamorados de menor categoría; resérvate para el Rey.

«Ester, ¿por qué no hablas con ninguno de estos jóvenes?»
«Porque no tengo tiempo para enamorados de menor categoría; ¡me reservo para el rey!»

LA UNCIÓN CAMBIA TODO LO QUE HAY EN TI

La consecuencia de estar preparado para la presencia del Rey es que muchas de las personas que te rodean también pueden sentirse atraídas hacia ti y les puede agradar la fragancia de tu vida. Muchos estarán de acuerdo contigo cuando te prepares para el Rey. Te cambia y te transforma la personalidad. La unción cambia todo lo que hay en ti.

Ester *se preparó* para su encuentro con el Rey. Se alistó, se sumergió, aprendió a caminar, a hablar y se vistió para el éxito. Esto fue de suma importancia. *El rey estaba cansado de novias.* Elegiría una candidata a reina.

Dios también está cansado de novias, de esas que quieren salir con Él solo por los dulces y los regalos. El Rey de reyes busca una esposa. Una esposa es alguien que está más interesada en el Dador que en las dádivas. Eso se deletrea c-o-m-p-r-o-m-i-s-o.

Mi intención no es que este libro se gane un «No apto para menores», pero lo cierto es que la cultura de la época le permitía al rey de Persia escoger cualquier mujer que quisiera. En esa cultura pagana, se entendía que solo por dormir con una mujer, el rey no quería decir que tenía que casarse con ella (los reyes de Israel y de Judá también tenían esposas principales y secundarias, aunque es evidente que esta no era la preferencia de Dios). Al tener esto en mente, se comprende que hubo algo más en Ester que le atrajo a Asuero. No fue ningún sentido de la obligación depositado en alguna que no lo merecía.

De todos modos, de alguna manera, todos los cuidadosos preparativos rindieron sus frutos cuando a Ester la eligieron para ser más que una novia. El rey la tomó en serio.

¿Te das cuenta de que el Rey de reyes desea tomarte en serio? ¡Desea llevar la relación contigo al siguiente nivel! El Rey habla de compromiso. (Y cuando el Rey habla de compromiso, se refiere al compromiso para siempre). ¿Cuál es tu grado de compromiso? ¿Te esfuerzas por atraer y ganar el corazón del Rey?

¿Qué se le da a alguien que ya lo tiene todo? ¿Cómo ganas su corazón? ¿Cómo cortejas a un Rey? Al parecer, no le hace falta nada. Tus ofrendas triviales hasta se pueden interpretar como un insulto.

¿Cómo te ganas su favor?

Debes entender que el Rey tiene una «debilidad».

Después que se apaciguó la ira del rey Asuero, *se puso a pensar en Vasti*[16].

El Rey quiere una esposa. Tú eres su única necesidad; ¡su única debilidad es tu adoración!

¿Qué le das a alguien que lo tiene todo?

A ti mismo.

CAPÍTULO 6

EL SECRETO DEL CHAMBELÁN DEL REY

En busca del favor del Rey

E l día que a Ester la coronaron reina de Persia, un coro de al menos
trescientas noventa y nueve mujeres hermosas de veintitrés naciones se preguntaron: *¿Cuál es el secreto de Ester? ¿Por qué la eligieron?
¿Por qué no me eligieron a mí?*

Sospecho que las más desilusionadas del grupo eran las mujeres
nobles de Persia que se enteraron de que ni siquiera su linaje de sangre ni
sus familias lograron sobrepasar el secreto de atracción de Ester. Ninguna
podía entender por qué el poderoso rey de Persia escogió a una extranjera desconocida como reina, rechazando, incluso, a las hijas de Persia con
noble sangre azul.

La gente en las iglesias de hoy se hace preguntas similares por las mismas razones. No les preocupa tanto «quién será la reina», sino a quién
ama más Dios». Se preguntan: *¿Por qué las oraciones de ciertas personas
parecen tener más respuesta que las de otras? ¿Existe alguna fórmula
secreta o algún atributo personal que, de alguna manera, los coloca
más cerca de Dios?*

DIOS NO HACE ACEPCIÓN DE PERSONAS

El apóstol Pedro declaró que Dios «no hace acepción de personas» ni
de razas[1]. El Creador nos ama a todos y la única medida del amor de Dios
para cada uno de nosotros es el inconmensurable valor de la vida de su
propio Hijo. Aun así, *hay* ciertas cosas que fomentan la intimidad con la

divinidad. Una vez más: *Dios no hace acepción de personas, ¡pero sí tiene sus favoritos!*

Ester está a punto de demostrarnos una lección importante de vida: *Escucha al chambelán del Rey.* El rey Asuero le había dado a su eunuco, Jegay, la responsabilidad absoluta de la casa de las mujeres.

Cuando a Ester, la joven que Mardoqueo había adoptado y que era hija de su tío Abijaíl, le llegó el turno de presentarse ante el rey, *ella no pidió nada fuera de lo sugerido por Jegay, el eunuco encargado del harén del rey.* Para entonces, ella se había ganado la *simpatía* de *todo* el que la veía[2].

Es evidente que Jegay no era un eunuco común. Cientos de eunucos servían en el palacio y las cortes oficiales del rey, pero Jegay era un funcionario de estado, un *gentilhombre de cámara* ubicado en un lugar alto, asignado como «guarda de las mujeres»[3].

> ESCUCHA
> AL CHAMBELÁN
> DEL REY.

Diversas traducciones de la Escritura utilizan términos diferentes para describir la posición de Jegay. La combinación de dos términos que se usa con mayor frecuencia parece ser lo que mejor describe su tarea: era *eunuco* y *chambelán o gentilhombre de cámara.* En cuanto a un palacio persa, se entendía que cualquiera que fuera un chambelán (en especial si su área de responsabilidad era cuidar de las mujeres en el harén o en los edificios reales) también era un eunuco.

El eunuco era un hombre castrado con crueldad a fin de que el rey pudiera confiar en sus motivaciones. El eunuco tenía menos posibilidades de corromper a la amante del rey porque no era probable que sintiera algún deseo por la esposa del rey. Y era seguro que no podía engendrar un hijo que pudiera confundirse con el del rey y su heredero real.

¿A cuántos de nosotros, me pregunto, el Rey nos confiaría su esposa? ¿Cuántas ideas propias concebimos y transmitimos como si fueran las del

Rey? Dios sigue buscando chambelanes que no tuerzan el amor de la iglesia *hacia sí mismos*.

Como gentilhombre de cámara, Jegay tenía acceso privilegiado a las cámaras interiores y entendía en detalle cuál era el temperamento del rey; conocía lo que le gustaba y lo que no, y cómo o por qué fluía su favor. Los gentilhombres de cámara no estaban exiliados a las cortes externas; de allí su nombre. Hasta tenían acceso a la cámara privada del rey.

Los gentilhombres de cámara son personas en cuya presencia el rey se siente cómodo. Lo *conocen* y Él *confía* en ellos.

UN CHAMBELÁN NOS
PROTEGE Y NOS CUIDA

La tarea principal de Jegay era «guardar» a las doncellas. De acuerdo a la definición del diccionario, la manera en que «guardas» a alguien es protegiéndolo (como si lo rodearas de espinas), lo guardas, lo asistes, lo marcas, lo observas, lo preservas, lo consideras, lo reservas, lo salvas, lo esperas y lo cuidas[4]. Estoy seguro de que guardar a las jóvenes que eran para el rey involucraba todas estas cosas. ¡Jegay estaba tapado de trabajo!

Este «eunuco a cargo» y jefe principal de los chambelanes era también, aparentemente, el director y maestro de ceremonias del concurso internacional de belleza del rey Asuero. De acuerdo con lo que dice la Biblia, ni bien comenzó el proceso del concurso, Ester llamó enseguida la atención de Jegay.

Cuando se proclamaron el edicto y la orden del rey, muchas jóvenes fueron reunidas en la ciudadela de Susa y puestas al cuidado de Jegay. Ester también fue llevada al palacio del rey y confiada a Jegay, quien estaba a cargo del harén. La joven agradó a Jegay y se ganó su simpatía. Por eso él se apresuró a darle el tratamiento de belleza y los *alimentos especiales*. Le asignó las siete doncellas más distinguidas del palacio y la trasladó con sus doncellas *al mejor lugar* del harén[5].

Parece que Ester ya tenía una pieza del rompecabezas como futura esposa. Como doncella judía, es probable que haya esperado contra todo pronóstico poder continuar con las leyes alimenticias que tradicionalmente seguían sus antepasados. Jegay, que puede haber estado abrumado por los requerimientos dietarios de mujeres de veintitrés naciones diferentes, inmediatamente «ordenó que le sirvieran comidas especiales» a Ester. La única explicación para esto es que Ester se había ganado el favor del eunuco principal.

ELÉVATE PARA ENCONTRAR GRACIA DELANTE DE SUS OJOS

La Biblia dice de Ester y el eunuco: «Y la doncella agradó a sus ojos, y halló gracia delante de él»[6].

Un comentarista moderno dice: «En este versículo, la traducción literal del lenguaje original dice: *"Ella se elevó y encontró gracia delante de sus ojos"* [...] Ester lució de tal modo que encontró gracia delante de los ojos del influyente sirviente del rey, Jegay»[7].

De inmediato, Ester se ganó el favor del eunuco del harén del rey, pero en realidad seguía siendo una mujer impotente, atrapada y entrelazada en el destino de otras personas y naciones.

Solo se le permitía hablar cuando alguien le hablara, y tenía muy pocos contactos dentro del palacio al estar confinada a la privacidad del harén del rey. No tenía dinero propio. No podía abandonar la custodia protectora de las cámaras privadas de las mujeres.

¿Cómo pudo vencer obstáculos tan insuperables? ¿Qué la hizo sobresalir entre la multitud? ¿Cómo se las arregló para modelar la historia del mundo? La diferencia fue que *escuchó al gentilhombre de cámara.*

En nuestra vida quizá haya muchos chambelanes mientras pasamos de la niñez a la adultez. Ester comenzó a escuchar y a obedecer el consejo de su primo mayor y tutor, Mardoqueo, desde temprano en su vida. Había aprendido la importancia de tener un mentor.

> DIOS TIENE
> ESTA IDEA
> INCREÍBLE DE QUE
> LA IGLESIA ES
> PARA ÉL.

La Biblia dice: «Ester, por su parte, continuó guardando en secreto sus antecedentes familiares y su nacionalidad, tal como Mardoqueo le había ordenado, ya que *seguía cumpliendo las instrucciones de Mardoqueo como cuando estaba bajo su cuidado*»[8]. Desde temprana edad aprendió y perfeccionó las habilidades de un espíritu enseñable que le ayudaron a tener éxito como adulta en el estricto protocolo de la presencia del rey.

Cuando Ester llegó, no era más que otra cara bonita entre muchas otras escogidas para competir en este concurso de belleza del rey. (Ya fueran cuatrocientas candidatas o mil cuatrocientas sesenta, habrá sido lo mismo apretujar en el sector del palacio para mujeres a una cantidad de concursantes que bien puede ser el número de habitantes de muchas pequeñas ciudades).

Hubo algo que hizo que Ester sobresaliera entre todas las demás porque, cuando le llegó el turno, solo a ella eligieron para ser la reina de Asuero. Como mencioné antes, la tradición rabínica sostiene que Ester fue una de las cuatro mujeres judías más hermosas de todos los tiempos[9]. La Biblia también deja en claro que era muy hermosa y de atractiva figura, así que es evidente que Ester podía arreglárselas bien en la sección «agradable a los ojos».

EL REY ESCOGIÓ A ESTER POR ALGO *MÁS* QUE SU BELLEZA

La mayoría de los comentaristas que he leído parecen dar por sentado que Ester fue la elegida debido a su belleza física o a sus encantos sensuales en el dormitorio del rey. En lo personal, estoy convencido de que Asuero escogió a Ester por algo *más* que su evidente belleza externa. ¿Cuál fue su secreto? Para empezar, había aprendido a *escuchar al gentilhombre de cámara*. Por instinto sabía que los que tienen un espíritu enseñable hallan favor.

Cuando solo escuchamos a nuestros propios apetitos y perseguimos nuestros propios planes y propósitos en la vida, torcemos de manera desastrosa nuestro encuentro con las citas divinas.

Una vez más, como lo he dicho en muchas iglesias y reuniones alrededor del mundo, Dios *tiene esta increíble idea de que la iglesia es para Él*. Nuestra visión tiende a ser terriblemente diferente. Por lo general, orquestamos y le damos forma a todo en nuestras reuniones a fin de que nos agraden a nosotros, por lo tanto, mediante nuestras acciones mostramos que creemos que la iglesia es para nosotros. Tal vez, podamos aprender del ejemplo de Ester.

Antes de ser llevadas a la presencia del rey, cada muchacha debía recibir seis meses de tratamiento de belleza con aceite de mirra, seguido por otros seis meses de tratamiento con perfumes y cosméticos femeninos. Cuando a una muchacha le tocaba ir a pasar la noche con Asuero, *se le daban a elegir las vestiduras y joyas que deseara, para realzar su belleza* [...] Cuando le tocó a Ester el turno de presentarse ante el rey, *aceptó el consejo de Jegay*, el eunuco a cargo del harén, *y se vistió de acuerdo a sus instrucciones*. Las demás mujeres quedaron maravilladas cuando la vieron[10].

¿Prestaste atención a esa frasecita: «aceptó el consejo de Jegay»? Esta simple aseveración nos habla muchísimo de la sabiduría de Ester.

El hecho de que «aceptó», ¡quiere decir que es probable que *preguntara*!

UNA A UNA FUERON A SU CITA ÚNICA EN LA VIDA

Las concursantes que estaban en el palacio del rey Asuero eran las mejores bellezas internacionales y las más impactantes. Noche tras noche, nada menos que por cuatro años, estas jóvenes fueron una a una a su cita única en la vida con un rey.

Justo antes de que llegara el tiempo señalado, a cada mujer la llevaban a un paseo de compras derrochador, sin límites, sin topes. El gentilhombre de cámara las llevaba a lo que sería el equivalente a la 5ª Avenida de la ciudad de Nueva York en Persia, o a las casas de alta costura parisinas para que consultaran a los mejores diseñadores de ropa del momento.

Es probable que la primera parada de este recorrido era la casa Dior, seguida por Versace, Armani y otros. Sin duda, había una larga hilera de sirvientes transportando todas las cajas, vestidos, joyas y zapatos. El precio no era lo que importaba, pues a cada candidata se le daba el privilegio de comprar con la tarjeta de crédito de platino del rey, con un presupuesto ilimitado.

«¿Qué vestido le gusta? ¿*Todos*? Muy bien. Nuestro perfumista le creará una fragancia personal solo para usted si lo desea; además, tal vez desee alguna joya que haga juego con ese impactante vestido». ¿Te imaginas a las jóvenes doncellas mirándose en forma crítica frente a los espejos? «¿Cómo me veo? ¿Este drapeado tiene buena caída?»

Me pregunto qué habrá pensado el gentilhombre de cámara al observar a una candidata tras otra oliendo los perfumes en sus muñecas delicadas y comentando al mismo tiempo con deleite: «¡Siempre quise tener un vestido de este color! ¿Te imaginas lo que dirían mis amigas si pudieran verme en este momento? ¡Mira este collar de oro!».

Estaba acostumbrado a escuchar la conversación entusiasta que resonaba por todo el harén, a medida que las doncellas provinciales, que de repente pasaban a ser el centro de atención, comparaban sus compras increíbles luego de sus incursiones a los lugares más caros con todos los gastos pagos. Coloca esto en un contexto personal. ¿Qué sucedería si te ofrecieran esta experiencia de compras hoy en día? Piénsalo: una limusina en la puerta, un avión privado esperándote para llevarte enseguida a París o Nueva York, sedas, sastres personales a la espera para servirte en sesiones exclusivas y privadas...

UNA DONCELLA SOBRESALIÓ EN LA MEMORIA DEL CHAMBELÁN

Hubo un paseo de compras y una doncella que quedarían marcados para siempre en la memoria de Jegay. Esta muchacha no tenía el mismo entusiasmo alocado ni la confianza en sí misma de las demás. Cuando la llevó de compras a fin de prepararse para su noche con el rey, parecía que solo revolvía los estantes.

La observó con mucho interés mientras ella miraba sin un objetivo fijo una cosa y otra, y se mostraba un poco perdida en el proceso. Las señales de frustración e inseguridad eran inconfundibles mientras levantaba un artículo y otro, y luego meneaba la cabeza. Hasta se probó algunas cosas, pero algo andaba mal. Cuando al final se acercó a su nuevo confidente, Jegay, el rostro de Ester reflejaba el problema que sentía en el corazón.

Sabía que el chambelán tenía acceso directo a las cámaras privadas del rey. Estaba autorizado para entrar incluso a los recovecos más íntimos del palacio porque era un funcionario de confianza. Hacía mucho tiempo que estaba allí y había adquirido gran autoridad debido a su lealtad. Los años vividos en el estilo interno del palacio no habían sido una pérdida de tiempo. Era muy observador. Todo esto quería decir que Jegay conocía casi todo sobre el soberano que servía.

El chambelán había visto a las doncellas venir y las había visto irse a la otra casa, a la de las concubinas del rey. No les envidiaba nada; esta era la única oportunidad que tenían de vivir un sueño, aunque solo fuera por un momento.

CUALQUIERA PODÍA ESCUCHAR, ESTER LO HIZO

Su ojo experto captó la preocupación que se reflejaba en el rostro de esta doncella muy especial. Sentía un extraño halo de destino mientras los ojos sabios e inocentes le hacían preguntas.

—Jegay, yo... tengo un problema.

—¿Qué sucede, Ester?

(El gentilhombre de cámara la llamaba por su nombre ya que esta joven le había causado tal impresión que no podía olvidarlo).

—Jegay, no puedo... no puedo escoger un vestido.

—Bueno, Ester, eso no es problema. Iremos a la próxima tienda. O podría llamar a los diseñadores de alta costura para que diseñen un vestido específicamente para ti. Recuerda, Ester: El presupuesto no es un problema. Si no ves un vestido que te guste, haremos uno para ti.

—No, Jegay, ese no es el problema.

(El hombre escuchó con mucha atención mientras Ester procuraba con dificultad encontrar las palabras).

—Verá, bueno, el problema es que *no conozco al rey como usted*... No sé cómo decirlo, Jegay, pero algo en el corazón me dice que no se trata del color de vestido que *yo* me quiera poner, sino de *su* color favorito. No se trata del estilo de ropa que *yo* siempre he deseado usar; se trata del estilo que a *él* le gusta.

De repente, el corazón del sabio funcionario comenzó a palpitar. Esta virgen llamada Ester lo impresionaba; tenía la sensación de que le prestaría atención a su consejo. *Esta puede ser la elegida*, pensó. *Todas las demás jóvenes parecían interesadas solo en lo que ellas querían. No hablaban de otra cosa que no fuera su color favorito y su estilo preferido. Sí, esta Ester es drásticamente diferente.*

LA DESCRIPCIÓN DEL COLOR
FAVORITO DEL REY

Sus pensamientos se confirmaron cuando, con suma sabiduría, el dilema de Ester se convirtió en una serena demanda.

«Jegay, usted conoce al rey mejor que yo. Descríbame cuál es su color favorito. Dígame qué estilo de ropa le gusta más. ¿Me haría una lista de las cosas que al rey le gustan de verdad? No tengo interés en escoger cosas para mí. Con gusto me pondré lo que *a él le gusta*, en lugar de tratar de imponerle las cosas que yo prefiero».

¿Cómo elegimos nuestras cosas como esposa de Cristo cuando vamos delante del Rey en una reunión de adoración? Algunas veces, entramos en una reunión y nos sentimos molestos si el líder de adoración escogió canciones que no se encuentran en la lista de nuestras veinte favoritas.

La verdad es que cada vez más nos damos cuenta de que *no somos el objeto de la adoración*. El propósito de la iglesia no es exclusivamente agasajarnos ni satisfacer nuestras necesidades. El propósito principal de la iglesia es agasajar, ministrar y servir al Rey.

Muchos deberíamos seguir la guía de Ester y escuchar al gentilhombre de cámara del rey. Su secreto fue que valoró el consejo de este hombre más que su propia opinión.

¿Alguna vez has escuchado las palabras: «No se contenten solo con escuchar la palabra, pues así se engañan ustedes mismos. Llévenla a la práctica»?[11] Ester ganó el favor porque escuchó la palabra del chambelán y luego la llevó a la práctica. (Hizo algo más que decir lo que se esperaba de ella; hizo lo que se esperaba de ella y le permitió a Dios escoltarla hasta el corazón mismo del rey).

Si deseas obtener el acceso a los recovecos íntimos del palacio de la presencia, si anhelas entrar a las cámaras y al lugar secreto del Altísimo, comienza con el primer paso: Entiende que no se trata de ti. Repito, *Dios sigue teniendo esta idea increíble de que la iglesia es para Él*. Los milagros suceden cuando nuestros deseos coinciden y se alinean con los de Él.

Es natural que el primer paso lleve al segundo: *Busca a alguien que ya estuvo en las «cámaras íntimas» de Dios*. Pídele que te enseñe sobre el color favorito del Rey y sus preferencias en cuanto a la ropa. Jegay fue uno de los grandes secretos de Ester. ¿Quién es tu Jegay?

¿En qué pensaban las otras doncellas cuando caminaban hacia la puerta del rey? Tal vez se dirían: «¿Acaso no me veo bien?».

> BUSCA A ALGUIEN QUE YA ESTUVO EN LAS CÁMARAS ÍNTIMAS.

Cuando Ester se detuvo frente al portal, tal vez se dijera: «Espero que *él* piense que me veo bien». Deja a un lado las vestimentas de las pretensiones de superioridad moral y ponte los mantos de alabanza. Jegay le enseñó esto a Ester.

La historia nos dice que independientemente de lo que estas doncellas se pusieron durante su visita al rey, se les permitió conservarlo por el resto de sus vidas. Esto incluía las joyas que las adornaban. A juzgar por las grandes colecciones de artículos exquisitos que se han encontrado en excavaciones arqueológicas de la región, las joyas eran muy importantes en la cultura persa.

Es probable que las mujeres que visitaran al rey tuvieran anillos en todos los dedos y en la mayoría de los dedos de sus pies. Sus orejas exhibían deslumbrantes combinaciones de oro, plata, diamantes y otras piedras preciosas. Brazaletes elaborados y costosos, cintas para el cabello y collares, con otros adornos exclusivos para el cuerpo, deben haber completado estos conjuntos de belleza.

¿Por qué sugiero que habría semejante colección de joyas para una sola noche? Porque cuando la noche terminaba, la mujer se llevaba todo lo que llevó consigo junto con sus efectos personales.

Parece que Ester tenía un corazón diferente. Algo la separaba de todas las demás. Sospecho que cuando Ester entró, sin duda pensaba: *Me niego a prostituir las riquezas del rey para mis prácticas privadas* (ganancia o ventaja personal). Muchas personas prostituyen con gusto la unción que Dios les ha dado a fin de ganar el favor del hombre.

> NIÉGATE A PROSTITUIR LAS RIQUEZAS DEL REY POR VENTAJAS PERSONALES.

Imagina a Ester caminando hacia la cámara del rey con elegante sencillez, quizá luciendo un atuendo hermoso pero sencillo y con una sola joya [...] a lo mejor una simple estrella de oro heredada de su familia[12]. El nombre de Ester, tomado del dialecto persa, quiere decir «estrella», y es probable que hasta sus joyas la separaran de las demás de acuerdo a su destino[13]. Al pertenecer al linaje de David, ¿podrá haber sido una precursora profética de la Estrella de David? ¡Ester, la Estrella de David!

Estoy convencido de que cuando Ester entró, sobresalió del montón de una manera rotunda. El rey quizá dijera (en términos modernos): «No pareces una buscadora de oro. ¿No quieres algunos tesoros para ti?». Hasta casi puedo oír la respuesta humilde de Ester (en la lengua vernácula del Nuevo Testamento): «No, rey Asuero. No persigo su oro porque soy una *buscadora de gloria*. No quiero lo que puede darme como rey de Persia, lo quiero a *usted*».

A algunas personas en la iglesia les interesan más los dones que el Dador. Vienen por las bendiciones más que por el que bendice. Como lo hacían las multitudes en los días de Jesús, lo siguen a las grandes reuniones por los panes y los peces y por las «necesidades satisfechas» de su mano más que por el Pan de Vida que procede de su presencia[14].

Qué refrescante debe ser para el Rey de gloria cuando alguien se le acerca en adoración y le dice: «Tan solo te quiero a ti». Por su parte, Ester sabía que el palacio no era más que una casa lujosa, pero vacía sin la presencia del rey.

¿QUIÉN NOS ENSEÑARÁ A AGRADARLO?

La mayoría de nosotros sabemos cómo trabajar en forma natural, ¿pero quién nos enseñará a «hacer la obra del ministerio» y a agradar a Dios? Leí que un gran líder dijo:

> Él mismo constituyó a unos, apóstoles; a otros, profetas; a otros, evangelistas; y a otros, pastores y maestros, *a fin de capacitar al pueblo de Dios para la obra de servicio*, para edificar el cuerpo de Cristo. De este modo, todos llegaremos a la unidad de la fe y del conocimiento del Hijo de Dios[15].

El éxito lo consiguen quienes aprenden a escuchar a los gentilhombres de cámara del Rey. Él ha dado apóstoles, profetas, evangelistas, pastores y maestros a fin de prepararnos a cada uno de nosotros para nuestro ministerio a Dios. La Biblia dice que Dios nos dio a estos «chambelanes» para perfeccionar o capacitar a los santos para las obras de *servicio*.

Los estadounidenses tenemos muchas virtudes, pero algunas veces nuestros caminos independientes cruzan la línea de la franca rebeldía (por supuesto, todo de la manera socialmente adecuada y en nombre de la «libertad»). Esto sucede cada vez que vamos a la iglesia y nos decimos: «No tengo que escuchar lo que dice el predicador. No es más que un hombre como yo. Tampoco tengo que escuchar lo que dice la Palabra de Dios, todo depende de cómo se interprete. Yo hago las cosas de la manera que me parece adecuada».

Eso me recuerda a todas las participantes del concurso de belleza en la Persia antigua, haciendo hilera a la espera de su única noche con el rey. Se pusieron todo lo que querían, andaban como bien les parecía y se pusieron su perfume favorito antes de entrar en la cámara del rey.

NO TENEMOS ÉXITO POR HACER LO QUE SE NOS ANTOJA

En aquel entonces había un problema en este cuadro y *ahora* también lo hay. No tenemos éxito por hacer las cosas a nuestro modo a fin de agradarnos a nosotros mismos y a nadie más. El éxito viene cuando prestamos atención a la sabiduría que transmiten los chambelanes del Rey sobre lo que más le agrada al Rey.

¿Cuál es el color favorito del Rey? A los fines de nuestra discusión, te sugiero que el color favorito del Rey es el rojo, pues ese es el color de la sangre que Él derramó en el Calvario. ¿Qué crees que siente cuando entras vestido con el torrente de sangre carmesí que proviene del Calvario?

Para ser sincero, no puedo explicar del todo cómo la sangre roja puede tomar un corazón negro y volverlo blanco como la nieve, pero lo hace. Te prometo que los ojos de Dios captan todos los detalles cuando entras a su presencia vestido con el atuendo de la alabanza.

Por otra parte, si intentas entrar delante de su trono con la ropa inadecuada, digamos, los mugrientos harapos de tu propio sentido de la moralidad, no le interesará, por más que saltes y dances delante de Él. ¡No es eso lo que busca el Rey! Los verdaderos gentilhombres de cámara del reino han intentado decírnoslo.

EL PROTOCOLO
DEL ACERCAMIENTO ADECUADO

A Ester le enseñaron el protocolo del acercamiento adecuado en la corte real y, lo que es más importante, el protocolo de la intimidad, las reglas de la relación en las cámaras del rey. Esto no lo podía enseñar cualquiera, sino solamente alguien que tuviera acceso tanto a las cámaras íntimas como a los atrios.

La futura esposa de un rey debe aprender a vestirse como princesa. Ester lo hizo y cada miembro de la futura esposa del Cordero hoy en día debe desechar todas las vestimentas que pertenecen a sus viejas vidas y todo lo que llevan consigo. Las viejas vestiduras son inaceptables desde ahora en adelante. Las nuevas vestimentas adecuadas a las cortes reales del Rey se convierten en nuestro atavío normal, día y noche. Recuerdo haber leído las palabras de un profeta que dijo:

> Si bien todos nosotros somos como suciedad, y todas nuestras justicias como trapo de inmundicia; y caímos todos nosotros como la hoja, y nuestras maldades nos llevaron como viento. Nadie hay que invoque tu nombre, que se despierte para apoyarse en ti; por lo cual escondiste de nosotros tu rostro[16].

El Rey las ha visto llegar y las ha visto irse. Busca a alguien que entienda que el palacio no es más que una gran casa vacía sin el Rey, por más lujoso y placentero que sea. Él busca a un adorador apasionado que no esté interesado en habitar en el palacio y en disfrutar de sus ventajas reales, sino en habitar en la presencia del Rey mismo.

Cuando el apóstol Pablo les escribió a los creyentes de Éfeso acerca del «quíntuplo ministerio» que Cristo nos dio para equiparnos y perfeccionar a la iglesia, lo que describía en esencia eran los *chambelanes* modernos del Rey. Dios les otorga poderes y les delega sus dones del Nuevo Testamento a personas comunes para que ejerciten y preparen a la *esposa* del Cordero para su tarea de intercesora terrenal, novia celestial y compañera eterna.

ÉL FUE EL PRIMER CHAMBELÁN

Mardoqueo fue uno de los primeros «chambelanes» de la vida de Ester. (Los padres llenos del Señor deberían desempeñar el papel de los primeros y, tal vez, los más importantes chambelanes en nuestras vidas). Él actuó como un verdadero chambelán y pastor hasta llegar muy lejos en proteger a Ester ocultando su verdadera identidad de los ojos del rey y de cualquier otra persona en la corte real.

Más tarde, cuando surgió un conflicto personal con su enemigo, Amán, no se protegió usando la influencia de Ester. Solo cuando el complot de Amán se extendió para exterminar a todos los judíos, Mardoqueo le pidió a Ester que interviniera.

Estas medidas protectoras de un guardián me recuerdan la manera en que los padres judíos buscaban con desesperación maneras de proteger a sus hijos durante el Holocausto bajo Adolfo Hitler. Algunos padres negaban que los uniera cualquier lazo con sus hijos y decían que pertenecían a sus vecinos gentiles. A decir verdad, este ardid les salvó la vida a miles de niños judíos, pues los amigos y vecinos gentiles estuvieron de acuerdo en cooperar y en adoptar a los niños como si fueran suyos. (Los gentiles que protegieron a la famosa Ana Frank se arriesgaron hasta la muerte por ayudar a los judíos a refugiarse).

Los chambelanes modernos del Rey tienen la responsabilidad de enseñarnos cómo mover el corazón de Dios. Los buenos administradores nos enseñan a no conformarnos con presentar nuestras peticiones en la puerta de acción de gracias, ni tampoco en los atrios de alabanza. El camino más sabio es presentar tus peticiones en el lugar de intimidad. Espera hasta que solo tengas que susurrarlo a medias. Una vez que el corazón del Rey se conmueve, la historia se vuelve a escribir y nuestro futuro cambia.

Al leer estas palabras, el peso de alguna necesidad desesperante quizá esté aplastando tu vida. Hay esperanza si puedes recibir el secreto del chambelán. Deja de lado tus necesidades por un momento y comienza a adorarle a Él donde se encuentran frente a frente.

> DIOS NO HACE ACEPCIÓN DE PERSONAS, PERO ESTÁ DISPUESTO A HACER ALGUNAS COSAS POR CIERTAS PERSONAS QUE NO HARÁ POR OTRAS.

Alábale. Adórale hasta que entres en las cámaras de la intimidad. Cuando tus lágrimas empapen la alfombra y todo lo que puedas decir sea «Abba», Él colocará su dedo sobre tu boca y dirá: «Ni siquiera necesitas decirlo. Conozco tus necesidades antes de que me las diga»[17].

Si entras a ese lugar de intimidad, puedes descubrir que aunque estés todavía en la iglesia, el contestador automático del hogar recibe un mensaje. Tal vez en el mismo momento que llegues a casa, eso mismo por lo que estabas preocupado ya se ha movido hacia un lado y se ha resuelto.

«Ah, hace tiempo que estoy tratando de convencer a Dios al respecto».

Tal vez, ese sea el problema. Has tratado de convencerlo. Solo ámalo de manera incondicional. Cuando la adoración te eleve a esa posición privilegiada de favor, es probable que descubras que Él ha satisfecho tu necesidad incluso antes de que se lo pidas.

Dios no hace acepción de personas, pero está dispuesto a hacer algunas cosas por ciertas personas que no hará por otras. Esto se debe a que han aprendido el protocolo de su presencia. Siguieron los pasos de Ester y aprendieron a convertirse en una princesa. Sus corazones han cambiado tanto en la presencia del Rey que todo lo que les importa es tener puesto su color favorito y hacer lo que *Él* desea que hagan. Así han cosechado las recompensas de hallar el favor del Rey: Se han convertido en favoritos, ¡en la esposa del Rey, en una reina!

La atmósfera misma del cielo se basa en la adoración. Escucha el consejo del chambelán, pues el camino de la alabanza y la escalera de la adoración conducen a las cámaras íntimas del Rey.

No soy el Rey. Tampoco lo es ninguno de los otros ministros del reino. Me encuentro en la posición de Jegay, el chambelán, y ofrezco consejos sobre el protocolo de su presencia. Comienza con arrepentimiento y lava tu corazón y tu mente de toda impureza. Llena tu boca con palabras de acción de gracias que te hagan atravesar la primera puerta. Dale regalos de alabanza y acércate más a su corazón. Acércate más a Él y adora en espíritu y en verdad. Cuando el Rey se encuentra relacionado contigo de esta manera, su corazón desea responder de inmediato tus peticiones.

¿Cuál es el secreto? *Escucha al chambelán* y sigue los pasos de Ester. Entonces, ya no presentarás tus pedidos en el marco de la formalidad de la sala de la corte. Tampoco te verás obligado a gritarlo desde afuera de las puertas.

DEJA QUE LA PASIÓN TE TRANSPORTE MÁS ALLÁ DE LAS PUERTAS

La pasión te transporta más allá de las puertas de acción de gracias y te hace atravesar los atrios de alabanza. Hasta te puede conducir a través de todos los obstáculos a fin de llegar a la misma presencia de Dios en intimidad y santidad. A esta altura, has pasado a través del velo y has entrado a las cámaras del Rey y su esposa.

Amo a mi esposa, y ella sabe que «si está a mi alcance, puede tener lo que quiere». Nuestro gran Novio posee toda la riqueza del mundo. Estamos a punto de unirnos en matrimonio con el Rey de reyes, para el cual el dinero no es un problema. Gastará lo que sea para satisfacer tus necesidades y bendecir tus manos. Después de todo, aquel que te ama es el dueño del ganado que se encuentra en miles de montañas, de las montañas sobre las cuales se apacienta ese ganado y del oro que se encuentra en sus entrañas.

Si te preocupa tu futuro o no sabes qué hacer con respecto a un ser querido, desearía poder ayudarte en forma personal; pero si descubres el secreto del chambelán, tu acción de gracias, tu alabanza y tu adoración bien pueden estar haciendo sonar las puertas del cielo en este mismo momento.

Tal vez Miguel y Gabriel estén diciendo: «Espera, Señor...».

«No», responde Él. «No me retengan ahora. ¡Ellos han hallado favor! Se pusieron mi color favorito. Miren, se han vestido con alabanza y se han adornado con adoración. Sus lágrimas y su anhelo apasionado por mí me tocan el corazón. Descenderé allí».

Como un chambelán del Nuevo Testamento que responde a la pregunta de una Ester contemporánea: «¿Qué debería ponerme para atrapar la atención del Rey?».

Vístete de adoración y úsala bien. Al Rey le encanta la adoración, en especial cuando se combina con una de sus fragancias favoritas: la humildad.

Ponte la mano en el corazón y ora conmigo en este mismo instante:

Padre, perdóname por todo lo que he hecho que te desagrada. Lávame, límpiame, úngeme y quita de mí el hedor de los campesinos. Sumérgeme en tu aceite fragante y conviérteme en tu novia y princesa.

Anhelo estar para siempre contigo. Te acepto como mi Señor y me niego a volver a la granja de la carne. Quiero quedarme aquí en el palacio de tu presencia. Enséñame a esperar en ti.

CAPÍTULO 7

EL FAVOR TIENE UN SÉQUITO

*Muchas veces el propósito y
los celos acompañan al favor*

T*odos* deseamos el favor. Nos encanta causar buena impresión en las autoridades por encima de nosotros y en los pares que nos rodean. El favor nos proporciona una vida más fácil y con menos golpes desagradables a lo largo del camino. Cuando hablamos del reino, deseamos agradarle al Rey y que los otros siervos nos honren.

«¿PUEDES HACERME UN FAVOR?»

Las culturas de todo el mundo entienden el significado de esta frase: «¿Puedes hacerme un favor?». Por lo general, les pedimos favores a nuestros *amigos* o a aquellos con los que tenemos alguna relación. Nadie espera tener mucho éxito cuando le pide favores a los extraños. Sin embargo, no nos parece nada del otro mundo entrar en tropel frente a un extraño llamado Dios, en momentos de crisis, para decirle: «De paso, ¿puedes hacerme un favor?».

La petición de favores a gente extraña por completo no es algo que hacemos a menudo. La mayoría entendemos que la influencia solo viene con la intimidad. Quizá un extraño mantenga una puerta abierta si se lo pides, pero sin duda no la «abrirá» para que te compres un auto nuevo poniendo su firma al lado de la tuya. Es probable que el nivel de favor que recibes esté ligado al nivel de relación que has desarrollado.

¿Hasta qué punto una persona puede confiar en ti? ¿Cuánta atención has prestado en conocerla?

Ester sobresalió en la lección del favor porque concentró su corazón en el rey. Creo que a cada momento procuraba aprender más sobre cuáles eran las cosas que favorecía el rey.

Mediante un estudio cuidadoso, Ester debe haber aprendido el estilo de ropa favorito del rey, su color y sus adornos. Nosotros también sabemos, a través de las cartas de amor de nuestro Rey, que Él favorece las vestiduras de justicia. Lo asombroso es que nuestro Rey no cambia el atuendo de justicia para que le quede bien a una persona. ¡Cambia a la persona para que el atuendo de justicia le quede bien! Si deseas favor, estudia al Rey. (Hasta sé qué «ropa» favorece el Rey de reyes, ya que sabios mayordomos de cámara nos alientan a ponernos un «manto de alegría»)[1].

El favor te hará sobresalir en medio de una multitud; te hace diferente.

Aunque es cierto que Dios no hace acepción de personas, esto también es verdad: *Si conoces lo que el Rey favorece, te conviertes en un favorito*. ¡Cualquiera puede convertirse en una Ester! Cualquiera puede convertirse en su favorito... si aprendes lo que a Él le gusta.

Hasta los asistentes angelicales de la «zona del trono» se dan cuenta de cuál es la gente favorecida. El anuncio del ángel a María, la madre de Jesús, incluyó las palabras *muy favorecida* y *bendita*[2]. ¿Te gustaría que se pronunciaran estas palabras referidas a tu vida?

Si es así, prepárate para que el «favor» traiga todo un cortejo con una inesperada responsabilidad como parte del equipaje. Uno de los compañeros de viaje más frecuentes del favor son *los celos*.

Si hallas favor, sé consciente de que no todos celebrarán tu éxito. Es probable que las otras doncellas no estén eufóricas por tu repentina elevación a reina. Sus comentarios cortantes pueden desinflar tu triunfo. ¿Puedes oírlos?

«A mí no me parece que se veía linda con ese vestido».
«¡Ese color nunca le quedó bien!»

Olvídate de los chismes del harén; no tienen ningún efecto sobre tu destino. Pasa por alto las opiniones de los hombres; busca el rostro del Rey. ¡Vístete con el manto de alabanza sin importar lo que los demás piensen de ti!

¡No seas prisionero de las opiniones de adoración de los hombres! Niégate a que te ofendan o te mantengan cautivo.

Quizá la adoración sea poco digna en la tierra, ¡pero deifica a Dios!

Cuando te vistes de adoración y entras a la sala del trono, el favor del Rey fluirá hacia ti. Solo entonces los espíritus celosos envenenarán sus manos para revelar su verdadera naturaleza. ¡Óbvialos y adóralo a Él!

Si las flechas punzantes de sus palabras no penetran tu espíritu, sus opiniones no cambian tu destino. ¡Vamos, Ester! ¡Ve a ver al Rey!

El favor viene con otro compañero: el propósito. El favor sin propósito es como el dolor sin un logro. ¡Es como el embarazo sin el parto!

La vida de Ester como joven judía en la antigua Persia estuvo marcada por un cambio repentino y dramático desde los primeros días de su vida. Cuando la tragedia golpeó su niñez y transformó su condición de hija amada a huérfana destituida, halló por fortuna el favor a los ojos de su primo mayor, Mardoqueo. Él la tomó como si fuera su propia hija y la preparó para un futuro que no se hubiera podido prever ni imaginar. La tragedia y la adopción se combinaron como maestras gemelas para imprimir en la joven Ester la importancia del favor.

> PROTOCOLO del PALACIO
>
> 6. SI APRENDES LO QUE FAVORECE EL REY, PUEDES CONVERTIRTE EN UN FAVORITO.

Cuando a Ester la llevaron siendo una joven para competir en un concurso obligatorio del rey, enseguida halló favor ante el chambelán. ¿Esto se debió solo a su belleza externa en acción? Como ya he dicho, me parece que hubo algo distintivamente sobrenatural acerca del favor sin precedentes que halló frente al eunuco del rey.

En realidad, parece que la presencia protectora de Dios impregnaba cada parte de la notable vida de Ester. El propósito divino cubría con su sombra cada instante en que el favor se cruzaba en su camino, momento tras momento. Ester pronto descubrió que el favor no es más que un punto para recargar combustible en la travesía hacia el destino. Es parte de los medios de Dios para alcanzar un fin mucho mayor y más importante. Por instinto, comenzó a aprender que no puedes entretenerte en un lugar de favor, *siempre tiene que haber un propósito*.

Cuando se presentó ante Asuero y se ganó su favor, la nombraron reina del imperio y el rey mismo la coronó en público. Además, les dio regalos a sus súbditos en honor de su nueva esposa, lo cual hizo que el nombre de Ester se mencionara en veintitrés naciones diferentes y en ciento veintisiete divisiones políticas.

A esta altura, para Ester hubiera sido fácil «jubilarse» a fin de disfrutar su nueva vida de complacencia real y de riqueza extravagante. Muchos en el cuerpo de Cristo se «jubilan» una vez que entran a la casa del Rey como nuevos creyentes. Suponen que tienen todo lo que pueden obtener y se acomodan como si les entregaran la vida en bandeja.

EL DOLOR SIN UN PROPÓSITO ES COMO EL EMBARAZO SIN PARTO

La experiencia inicial de salvación en la cruz es solo el punto de partida de una travesía hacia el destino, que durará toda la vida. El *favor* que Dios nos dispensa en la salvación tiene como objetivo un propósito divino. Repito, el favor sin el propósito es como el dolor sin un logro, como el embarazo sin el parto.

El apóstol Pablo usó un lenguaje similar en su carta a los creyentes de Galacia: «Hijitos míos, ¡cuánto me están haciendo padecer! ¡De nuevo *sufro por ustedes dolores de parto*, y suspiro *por el día en que estén llenos de Cristo*!»[3].

La historia de Ester no es el cuento de una «rebelde sin causa», ni es la biografía de una princesa a la que mimaron sin propósito. Ester se ganó el favor del rey, pero enseguida tuvo que aprender que el favor se le concedió porque nació para este propósito.

Lo que le enseñaron las dos maestras de su niñez, la tragedia y la adopción que vino luego, y lo que ella comenzó a percibir por instinto, Mardoqueo, su «padre adoptivo», se lo dijo con palabras claras, concisas y concretas: «¡Quién sabe si no has llegado al trono precisamente para un momento como este!»[4].

Esta lección comenzó durante la segunda cita crucial con el destino que tuvo Ester luego de la ceremonia de su coronación:

> Después de esto, el rey pidió el segundo grupo de mujeres [*vírgenes / participantes del concurso de belleza*]. En ese tiempo Mardoqueo era portero del palacio. Ester no le había dicho a nadie que ella era judía, como Mardoqueo le había ordenado, pues Ester lo obedecía como cuando estaba bajo su tutela. Un día en que Mardoqueo cumplía sus funciones en el palacio, dos de los eunucos del rey, Bigtán y Teres, que eran guardias de la puerta del palacio, se enojaron con el rey y planearon una conspiración para asesinarlo. *Mardoqueo se enteró y le dio la información a la reina Ester, la que a su vez la transmitió al rey en nombre de Mardoqueo.* Se investigó el asunto, y se halló culpables a los dos hombres, los que luego fueron colgados en la horca. Todo esto fue debidamente registrado en *el libro de las crónicas del rey Asuero*[5].

EL PROPÓSITO SURGIÓ CON UNA OBRA DE JUSTICIA

El propósito surgió de repente con una obra de justicia en medio del favor que se le había otorgado a Ester. Tanto para ella como para Mardoqueo hubiera sido más fácil mantenerse al margen. Después de todo, Asuero no era un seguidor de Jehová y Ester nunca tuvo la oportunidad de elegir si quería pertenecer a su harén o no. Tal vez haya considerado la posibilidad de que las cosas podían resultar mejor si alguien sacaba a Asuero del trono.

En cambio, los dos se arriesgaron a hacer lo que se debía. Es interesante ver que tal parece que ni Mardoqueo, ni Ester recibieron una recompensa inmediata de ninguna clase. Era costumbre de los persas que los «benefactores» del rey recibieran generosas recompensas y privilegios, pero lo máximo que sucedió en esta ocasión fue que el suceso se registró en las crónicas reales.

Nadie más que Dios sabía por qué la buena obra de Mardoqueo no se recompensaba de inmediato, pero la historia nos cuenta que el rey Asuero lanzó una guerra muy importante contra los griegos en el año 480 a. C., el mismo año en que coronó a Ester como su nueva reina. A lo mejor estaba demasiado preocupado con los preparativos militares y las cuestiones de estado como para seguir el protocolo habitual antes de salir corriendo para la guerra[6]. O a lo mejor oficiales de menos rango pueden haberse ocupado del asunto y lo archivaron en los informes para el rey que no tenían urgencia. En cualquiera de los casos, da la impresión de que nadie le prestó atención a esta buena obra.

Pasaron algunos años y entonces un cambio catastrófico sacudió los círculos más altos de liderazgo del Imperio Persa. Al comienzo del reinado del rey Darío, siete príncipes ocuparon las posiciones más importantes de influencia después del rey[7]. Pronto una octava posición se elevó a una prominencia más alta. El statu quo en los tiempos de Ester tuvo un gran cambio con el repentino ascenso al poder de un forastero desconocido.

Poco después el rey Asuero honró a Amán, hijo de Hamedata el agagueo, con el cargo de ministro. *Amán pasó a ser el funcionario más poderoso del imperio*, segundo después del rey. Todos los funcionarios del reino se inclinaban delante de él con reverencia cuando pasaba, porque así lo había ordenado el rey. *Pero Mardoqueo se negaba a inclinarse*[8].

NO DES NADA POR SENTADO

Pronto este incidente llevaría a la reina Ester a la prueba más difícil y peligrosa de su vida. En todo caso, el libro de Ester nos advierte que no vivamos a la ligera. El destino nos llama a caminar con cuidado y a no dar nada por sentado.

A lo mejor, Dios te bendijo con el don de la belleza física, de una inteligencia sobresaliente, de habilidades organizativas y gerenciales notables, o con capacidades artísticas muy sensibles. Asegúrate de no malgastar ni esconder tus talentos y dones bajo la tierra de la mediocridad.

Por otra parte, no te dejes seducir para construir tu carrera sobre ese don y *detenerte allí*. Nada de lo que posees y ningún don en tu vida se te han dado para ti solo. Te crearon para algo mucho más alto e importante que tu propio bienestar y satisfacción.

¿EXISTE UNA PUESTA DEL SOL EN TU HORIZONTE DEL ÉXITO?

Es interesante que la narración de la vida de Ester tiene mucho cuidado en decirnos que aun cuando vivía en el palacio, seguía prestándole atención a la voz de Mardoqueo.

> SI MUEVES EL CORAZÓN DE DIOS, MUEVES SU MANO. SI DIOS ASIENTE CON LA CABEZA, EL DESTINO CAMBIA.

Existe una *voz* en tu conciencia, tu Mardoqueo personal, que te hace señas desde las páginas del destino: ¡No te detengas ahora! *Si te gastas todo el favor en ti mismo, se pondrá el sol en tu horizonte del éxito*. Ester se hubiera podido concentrar en usar sus nuevos privilegios y su rango real para mantener el palacio en constante movimiento, reuniendo más placer, poder y seguridad personal para sí misma.

En cambio, Ester decidió moverse en los asuntos más altos de la vida. Hasta estuvo dispuesta a arriesgar el favor ganado y su vida para lograr el propósito. Es lamentable, pero la mayoría de nosotros no aprobamos este examen. Casi todo el tiempo nos quedamos empantanados en las trivialidades de la vida y nuestra mayor esperanza parece ser «caerle bien a la gente». Nuestra meta nunca debiera ser simplemente causarle una buena impresión a la gente; la pasión ardiente en nosotros debe ser cumplir el propósito de nuestra vida en Dios.

No importa con cuánta destreza sepas conmover el corazón del hombre, si te detienes aquí, no has hecho mucho. Todos los artistas, músicos, escritores y agencias de publicidad dependen de esta habilidad para influir en la humanidad. Aprende esta lección de Ester: *Si mueves el corazón de Dios, mueves su mano. Si Dios asiente con la cabeza, el destino cambia*. Las naciones se transforman, ¡se vuelve a escribir la historia!

Si lo pones como tu primer amor y el principal punto de concentración en la vida, no te sorprendas cuando se las ingenie para ponerte en posiciones inesperadas con oportunidades para influir en la vida de las personas que antes ni siquiera conocías. Dios busca adoradores que hablen y entiendan el «lenguaje del favor».

Mientras soportaba aquel primer año difícil de limpieza y preparación en la casa de las mujeres del rey, Ester no se daba cuenta que pronto sería la única que tendría el acceso requerido para cambiar el corazón del rey y salvar al amado Mardoqueo y a su pueblo. Es probable que haya pensado que solo trataba de sacar lo mejor de una situación difícil.

Tal vez tú te encuentras exactamente en esa posición, tratando de sacar lo mejor de una mala circunstancia. Lo que tal vez no entiendas, es que tu circunstancia es tu «universidad de la adversidad» y que te prepara para graduarte en la licenciatura de *hallar favor*.

Si deseas convertirte en un «favorito» del Rey, debes aprender cuáles son las cosas que favorece el Rey. No hay lección mayor que podamos aprender de Ester. Su principal preocupación no era lograr el favor, sino agradar al rey. Esto fue lo que le trajo un favor sin precedentes, capaz de salvar a una nación y de cambiar el destino. Las motivaciones puras y la búsqueda apasionada del rostro del Rey son lo que también te conducirán a ese lugar de favor.

¿Y SI PUDIERAS DECIR «SÍ» Y SALVAR A TU NACIÓN?

En realidad, Dios colocó a Ester en esa posición de favor a fin de prepararla para el día en que diría «sí» al propósito y salvaría a toda una nación (y cambiaría el curso de la historia en el proceso). ¿Y si *tú* pudieras decir «sí» y salvar a tu nación? ¿Estarías dispuesto a pagar el precio? *«¡Yo iré; yo trabajaré; me ofreceré como voluntario!»*

Dios es consciente de cada necesidad en cada minuto de nuestras vidas, pero se mueve y obra entre las naciones de acuerdo a *su* plan eterno y a *su* programa divino. Pensamos que hemos hecho lo debido al terminar la carrera de cien metros de la vida, cuando Dios desea que vivamos y sirvamos como si corriéramos una serie de maratones.

La sociedad tiende a admirar y elogiar las «celebridades» que se exhiben de forma llamativa en la escena pública por fugaces mordiscos fuertes que le dan a la fama y a la gloria, pero en el escenario de la vida no son más que muchachas que coquetean, no futuras esposas. ¿Por qué? Porque en su tarea no existe un logro real y eterno.

El verdadero logro y el verdadero éxito solo se pueden medir con el metro de Dios: ¿Llevó a cabo el propósito divino para sus vidas? ¿Glorificó al ego o glorificó a Dios y ayudó a los demás?

Muy bien, ganaste un concurso de belleza... ¿qué me dices de tu potencial? A algunas personas les caes bien... ¿pero has cambiado sus vidas para siempre? ¿Reflejas la gloria de Dios a través de tus palabras ciertas y tus obras piadosas? ¿Estas personas se acercaron más a Dios y a su reino gracias a tu existencia sobre la tierra?

> **El favor viene en dos sabores.**

La Biblia dice que el joven Jesús «siguió creciendo en sabiduría y estatura, y cada vez más gozaba del favor de Dios y de toda la gente»[9]. En otras palabras: *El favor viene en dos sabores.* El primer *sabor del favor* está lleno de éxito y de todos los ingredientes artificiales que han distinguido a la existencia de la humanidad en la comunidad creada. Este es el favor del hombre. Es veleidoso e imprevisible.

El segundo *sabor del favor* viene solo de Dios. Este favor refleja todas las virtudes y cualidades propias de su fuente divina, y se da de forma exclusiva para el cumplimiento del propósito divino.

Si has llevado adelante un plan de comercialización exitoso en tu oficina que te ha traído aclamación, ascenso e influencia, ¿le has preguntado a Dios por qué te escogió a ti o solo supones que te lo ganaste porque lo merecías? Puede que esta pregunta te irrite, pero que también te ayude a preservarte de una falsa idea de ti mismo.

Si acabas de vender una casa con un gran margen de ganancia y te encuentras cosechando los elogios de la comunidad de bienes raíces de tu ciudad, ¿Fue todo gracias a ti? ¿Fue el simple producto de tu propia ingenuidad y persistencia o también se trató del favor de Dios entretejido con tus esfuerzos?

En alguna parte leí: «Es Jehová tu Dios el que te da el poder para obtener las riquezas» y que *el poder o el favor siempre están ligados al propósito divino*: «Él lo hace *para cumplir la promesa hecha* a tus antepasados»[10]. Cuando te das cuenta de que el favor de Dios te ha traído recompensas especiales por los logros, reconocimiento por lo que has alcanzado o elogios y promoción por tu desempeño y tu visión, es entonces que viene la verdadera prueba. ¿Despilfarrarás el dinero de tu favor en los placeres efímeros de los elogios de los hombres o volverás a invertirlo en tu vida, en tu favor y en el éxito en los propósitos mayores de Dios? ¿Le darás la gloria y avanzarás hacia la próxima aventura de fe o solo te jubilarás y te sentarás en tu mecedora para desarrollar un plan egoísta de gastos de tu cuenta de ahorro de favor?

Aquí tenemos la lección que todo buscador de Dios debe aprender: *El favor continuo fluye hacia los que entienden el propósito*. Dios te otorgará favor en casi todas las esferas de tu vida si creces en el propósito de conocerle. Este es un principio de vida en el reino de Dios.

El Rey busca personas preparadas en el protocolo de su presencia. El reino de Dios sobre la tierra necesita de manera

> EL FAVOR CONTINUO FLUYE DE LOS QUE ENTIENDEN EL PROPÓSITO.

imperiosa gran cantidad de personas y líderes que logren conmover el corazón de Dios.

¿Y si tienes la capacidad de predicar bien y de conmover el corazón del hombre? Como dice la expresión común: «Gente como esa hay a montones». ¿Por qué debemos impresionarnos de manera especial ante la habilidad que tienes para cantar e influir en el corazón del hombre? ¿Quién recibe la gloria y cuál es el propósito detrás de esa actuación? La verdadera pregunta es: «*¿Por qué* haces lo que haces?».

¿Has renunciado a tus reclamos de poder personal y de logros individuales aparte de Dios? Lo que queremos saber es lo siguiente: *¿Adónde están los que pueden hablar con el Dios Altísimo en intimidad y pueden conmover su corazón?* En alguna parte leí que Jesús les dijo a algunos de los que serían sus líderes:

> *El que quiera seguirme debe renunciar a sus más caros anhelos, tomar la cruz cada día y seguirme.* El que pierda su vida por mi causa, la salvará; *pero el que se empeñe en proteger su vida, la perderá*[11].

Los hombres y mujeres que han alcanzado su posición y su éxito gracias a sus propios esfuerzos no pueden llevar a cabo por completo la voluntad de Dios al usar sus propias habilidades y el favor de los demás. Se necesita la mano de Dios en nuestra vida para cumplir su propósito por medio de nosotros en las vidas de los que nos rodean.

¿ERES MATERIAL ELEGIBLE PARA UNA MISIÓN IMPOSIBLE?

Recuerdo una cita del libro de Chuck Swindoll, *Esther: A Woman of Strength and Dignity*, en la cual expresa la afirmación concluyente de un orador invitado al seminario en 1959: «*Cuando Dios desea llevar a cabo una misión imposible, toma a una persona imposible y la tritura*»[12]. ¿Eres material elegible para una misión imposible?

Paso a paso y año tras año, las habilidades y los puntos fuertes naturales de Ester se trituraron y luego se sustituyeron por el favor y la habilidad sobrenatural de Dios. Sin este proceso, no estaba preparada en absoluto para enfrentar al enemigo que estaba a punto de ocupar su horizonte. Nunca se había encontrado con un enemigo como Amán; en realidad, muy pocas personas lo han hecho y han vivido para contarlo. Dios no solo quería que Ester viviera, quería que *prosperara*. El favor te puede hacer prosperar incluso bajo las circunstancias más difíciles.

Es probable que antes del día fatal, Ester haya percibido durante sesiones de estado o reuniones informales, el deseo perverso y lujurioso de poder que tenía Amán. Sin embargo, este hombre perseguía algo más que la simple revancha de un ego herido por Mardoqueo. Parece claro que, en lo secreto, Amán se consideraba un aspirante al trono de Persia y estaba dispuesto a pasarle por encima a cualquiera que se interpusiera entre él y su preciado objetivo. Parece que hasta el rey quedó atrapado en su artimaña. ¿Será posible que Ester estuviera destinada por Dios para salvar *no solo* a su pueblo, sino también para librar a su esposo de los planes brutales de un asesino encubierto?

Cuando Mardoqueo le dijo a Ester que necesitaba presentarse delante del rey e interceder por su pueblo, ella sabía que se enfrentaba a una prueba que requería algo más que simple belleza natural o el favor de un hombre. El problema era que Ester no estaba segura de que su «cuenta bancaria de favor» con el rey tuviera fondos suficientes. Se encontraba dividida entre el temor por su propia vida y el amor por su pueblo. La única salida parecía girar en torno a su disposición de arriesgarlo *todo*. ¿Estaba dispuesta a cambiar su favor por este drama entre la vida y la muerte? ¿Pasaría al siguiente nivel o se dejaría deslizar hacia atrás, a la seguridad de las sombras de la celebridad sin propósito?

[Mardoqueo] mandó a decirle: «No te imagines que por estar en la casa del rey serás la única que escape con vida de entre todos los judíos. Si ahora te quedas absolutamente callada, de otra parte vendrán el alivio y la liberación para los judíos, pero tú y la familia de tu padre perecerán. *¡Quién sabe si no has llegado al trono precisamente para un momento como este!»*[13]

¡Qué discurso! ¡Mardoqueo sí que sabía exponer! Como sucedió cuando Churchill le habló a la nación de Inglaterra durante la inminente intensificación de la batalla con Alemania: «¡Esta es nuestra hora más brillante!», Ester se sintió desafiada, ¡y enfrentó el desafío! Ahora, se revelaría su grandeza en todo su esplendor.

No te achiques frente al desafío, ¡pero tampoco le hagas frente solo! Levántate y acércate al Rey. *¡Es tu hora!*

Ester le envió a Mardoqueo esta respuesta: *«Ve y reúne a todos los judíos que están en Susa, para que ayunen por mí*. Durante tres días no coman ni beban, ni de día ni de noche. Yo, por mi parte, ayunaré con mis doncellas al igual que ustedes. Cuando cumpla con esto, me presentaré ante el rey, por más que vaya en contra de la ley. ¡Y si perezco, que perezca!»[14].

Ester conocía el valor de prepararse para su momento en la presencia del rey. Recordó cada una de las cosas favorables que había aprendido de los doce meses de preparación. Ahora, aceleraría el proceso y reduciría el tiempo a tres días.

Le dijo a Mardoqueo: «Debes comenzar a prepararte y a ayudarme para que esté lista para entrar. Pídele a todo tu pueblo que se encuentra en la ciudad que ayune y ore por mí». Para ese entonces, Ester sabía sin lugar a dudas que la fuente de su favor era Dios mismo. De acuerdo con la costumbre hebrea, declarar un ayuno era también declarar un tiempo de oración en el que los judíos oraban las oraciones bíblicas de sus antepasados y declaraban todas las promesas que se encuentran en el pacto de Dios.

Tres días antes de considerar qué se pondría para presentarse en la corte del rey de Persia, Ester se preocupó por lo que se iba a poner para presentarse en la presencia del Dios de Israel. Necesitaba el favor divino en la corte del cielo, así que con sabiduría se humilló en ayuno y oración a fin de ataviarse con las vestiduras del arrepentimiento, la dedicación y la santidad, durante tres días. Solo entonces avanzó hacia el siguiente paso, la corte inferior del rey terrenal. Las lecciones que se aprenden bien en un foro pueden darte favor en otro. El manto de humildad queda bien tanto en el cielo como en la tierra.

EL FAVOR NO ES EL LOGRO
MÁS ALTO EN LA VIDA

En primer lugar, Ester buscó el favor de Dios; luego se preparó para apelar al favor del soberano terrenal en su vida. *El favor no es el logro más alto en la vida,* ¡el más alto es el cumplimiento del propósito divino! Sin embargo, el favor es un medio dado por Dios para ayudarnos a cumplir con nuestro llamado y con nuestro propósito divino.

Estoy seguro de que tres días más tarde, cuando Ester se vistió antes de salir para ver al rey, sabía qué color debía ponerse. Sabía lo que le gustaba a su esposo persa. Comprendía de manera cabal e íntima el protocolo del palacio y sabía cómo ganar el favor del rey. Recordaba muy bien las lecciones aprendidas durante aquel año de preparación.

Suspendida sobre el precipicio del propósito, Ester sabía que la siguiente llamada a la puerta del rey quizá fuera la última. La ley de los medos y los persas decía que lo que estaba a punto de hacer era un suicidio, y al menos uno de los hombres que ocupaba una posición alta en la corte del rey, Amán, estaría dispuesto a prestar su ayuda para que esto se llevara a cabo.

A la reina anterior la eliminaron del palacio por *no* venir a la presencia del rey cuando se lo exigieron. Ahora Ester se arriesgaba a la ejecución por ir a la presencia del rey sin que se lo pidieran.

Lo único que podía salvarla en este momento era la intervención del rey. Necesitaba misericordia y gracia; la misericordia es *no* recibir lo que mereces y la gracia es *recibir* lo que *no* mereces. *Solo el favor podía salvarla.*

Ester fue muy cuidadosa en ponerse las vestimentas adecuadas antes de entrar a la presencia del rey para pedir su favor. ¿Estamos nosotros tan bien vestidos como Ester en la sabiduría de la adoración? ¿Adónde están los que han aprendido cómo vestirse para entrar a la presencia santa de Dios y conmover su corazón?

Entendemos el protocolo de la presencia del hombre; sabemos cómo estar de pie delante de la gente y cómo decir las palabras adecuadas. Decimos, por ejemplo: «¡Me alegro de estar aquí! ¡Me alegro de que estés aquí!» y «¡Qué bien te ves!». Todos sabemos hacer estas cosas, ¿pero dónde están los que pueden hablarle a Dios y captar la atención de su oído? Una cosa es caerle en gracia a los hombres, pero otra cosa completamente distinta es mover el corazón de Dios.

Haz esta oración conmigo:

Señor Jesús, ayúdame. Levanta personas que, como Ester, logren mover el corazón del Rey. Señor, necesitamos intercesores en cada ciudad, en cada región y en cada nación. No nos interesan las oraciones para impresionar a los hombres. No tenemos deseos de dominar a los hombres y las mujeres con palabras melosas que reciben su poder de la carne o de la mente. Deseamos conmover el mismo corazón de Dios nuestro Padre.

Levanta guerreros de oración, Señor, soldados apasionados y comandos de oración capaces de conmover tu corazón porque han practicado el arte de entrar en tu presencia en adoración y alabanza.

Levanta una generación de Esteres que hayan aprendido el protocolo de tu presencia. Transfórmanos y elévanos a fin de que lleguemos a ser personas que sepan cómo caminar en tu presencia y obtener tu favor mientras bendicen, sirven y te agradan.

Danos chambelanes ungidos del reino que nos muestren cómo vestirnos adecuadamente para que podamos acercarnos a tu trono, hablarte cara a cara y obtener tu favor en tiempos de necesidad. Danos la sabiduría para adorar y el favor de tu rostro, Padre.

Recuerda: El reino de las tinieblas no se ve amenazado por quienes solo pueden conmover el corazón del hombre. Sin embargo, Satanás y cada personaje caído de su reino de oscuridad temen y desprecian la amenaza que representan los que pueden conmover el corazón de Dios. Ester aprendió cómo conmover el corazón del rey en sus días, y el llamado de la iglesia en nuestros días es aprender a conmover el corazón del Rey de reyes. Esto solo se logra mediante una apasionada devoción y adoración como su amada novia.

CAPÍTULO 8

RIESGO CONTRA RECOMPENSA

Gastar el favor para conseguir un propósito

E l destino te ha arrojado al borde mismo del precipicio. El peligro se avecina. ¿Darías un salto hacia delante con fingida confianza y esperanza de que, contra todas las probabilidades, saldrás con vida? ¿Estás dispuesto a dar un salto de fe? ¿Harías oscilar los dedos de los pies sobre el borde de las promesas de Dios y saltarías hacia lo desconocido, dejando librado tu destino a la fidelidad de Dios?

El destino divino de Ester la lanzó a una serie de decisiones y circunstancias peligrosas. Huérfana y adoptada, elegida y promovida, se encontró encerrada en la casa de las mujeres del rey, pero así y todo se las ingenió para ganar su corazón y convertirse en una reina. Se podría pensar que una vez que te conviertes en reina, la vida será fácil, pero recuerda que *el propósito siempre viene con el favor y la responsabilidad siempre acompaña al ascenso.*

Una vez más la implacable fuerza del destino divino arrojó a Ester a lo profundo de una nueva lucha entre la vida y la muerte en el corazón de la corte real persa, cuatro siglos antes de Cristo. El rey Asuero condujo en persona a sus tropas a una frustrante invasión a Grecia inmediatamente después de casarse con la reina Ester. Pasó algún tiempo hasta que regresó al palacio de Susa y su ausencia hizo que se cuestionara la influencia de Ester. También les permitió a los demás acumular un increíble poder.

Una noticia espeluznante hizo añicos el período de relativa calma y seguridad que vino luego del regreso de Asuero. Transformó de manera permanente el paisaje de la vida de la reina Ester, a pesar de que estaba protegida dentro de los confines privados del palacio real. *Su amado Mardoqueo se encontraba en problemas.*

Ester actuó por instinto cuando sus doncellas y los eunucos le contaron la noticia de que Mardoqueo se encontraba sentado frente a la puerta del rey vestido con arpillera y cenizas, mientras lloraba con amargura y gemía a gran voz[1]. De inmediato, envió a un mensajero con ropas limpias y con la orden de descubrir qué pasaba.

Mardoqueo se negó a cambiarse de ropa, pero advirtió sobre un nuevo complot que tramaba un viejo enemigo que tenía poder y mataría a todos los judíos que se encontraran en el Imperio Persa. Ester se enteró de que la crisis *había comenzado* con el inesperado ascenso de un hombre llamado Amán, y que *había explotado* luego de la reacción que Mardoqueo tuvo hacia él.

> Poco después [luego de que Mardoqueo salvara la vida del rey] el rey Asuero honró a Amán, hijo de Hamedata el *agagueo*, con el cargo de ministro. Amán pasó a ser el *funcionario más poderoso del imperio*, segundo después del rey. Todos los funcionarios del reino se inclinaban delante de él con reverencia cuando pasaba, porque así lo había ordenado el rey. *Pero Mardoqueo se negaba a inclinarse*[2].

¿Quién era esta celebridad extranjera? ¿Cómo se convirtió de repente en el hombre más poderoso de Persia después del rey Asuero? Una vez, un amigo me dijo algo que revela otra lección que podemos aprender de la vida de Ester: *Cada vez que Dios se prepara para elevarte, primero debe introducir a un enemigo.*

Esta lección se encuentra ejemplificada prácticamente en la vida de todos los líderes de la Biblia.

> CADA VEZ QUE DIOS SE PREPARA PARA ELEVARTE, PRIMERO DEBE INTRODUCIR A UN ENEMIGO.

Tal vez el Señor te ha hablado sobre un gran destino para tu vida. Tan solo recuerda que mientras más importante sea tu futuro, mayor será tu oponente. ¿De repente te sientes como si te enfrentaras a enemigos gigantescos? Resiste, tu destino está a punto de revelarse. Si no hubiera sido por un enemigo llamado Goliat, David siempre hubiera sido un simple pastor de ovejas.

No permitas jamás que el tamaño de tu enemigo, la solidez de su fuerza ni el volumen de sus amenazas te intimiden. Haz lo que siempre has hecho. En otras palabras, lanza lo que siempre has lanzado.

Una piedra lisa guiada por la valentía y la determinación puede hacer que tu enemigo caiga. *¡Hasta un muchachito es más alto que un gigante caído!*

El tamaño de tu enemigo es insignificante. Israel ganó batallas contra ejércitos enemigos mayores y perdió otras contra enemigos con fuerzas mucho menores. Como nación, Israel perdió una batalla contra la pequeña ciudad de Hai, pero siendo un muchacho, David derrotó al gigante llamado Goliat.

Las batallas no se ganan de acuerdo a tu fuerza ni al tamaño de tu enemigo. Ganas o pierdes de acuerdo a tu relación con Dios.

No temas a tus enemigos; no importa el tamaño que parezcan tener. Ama a tu Dios, ¡Él es superior! «El que está en ustedes es más poderoso que el que está en el mundo»[3]. Cuando se levanta un enemigo... ¡el ascenso está en el horizonte! «Ester», ¡sal al encuentro de tu enemigo!

De buenas a primeras, el rey Asuero anunció el ascenso de Amán al puesto más alto bajo su trono y la sombra de este primer ministro de repente creció de manera amenazadora sobre cada persona judía que vivía bajo el gobierno del imperio. *¡Cómo pueden cambiar las cosas de un día para el otro!*

La Biblia dice que Amán era «hijo de Hamedata el agagueo». Dios no insertó el minucioso detalle de su nombre tan solo para llenar un espacio en su Palabra. Cuando el Señor entra en estas aparentes trivialidades, *el propósito divino no está muy lejos.*

¿QUÉ TENÍA DE ESPECIAL UN «AGAGUEO»?

Había algo en este nuevo enemigo que hizo que Mardoqueo se mantuviera de pie cuando todos a su alrededor se inclinaban (aunque se arriesgaba a morir por desafiar la orden directa del rey de inclinarse). ¿Qué tenía de especial un «agagueo»?

Algunos eruditos especulan que no hay nada de especial en ser «agagueo». Dicen que solo «Mardoqueo era demasiado orgulloso para arrodillarse delante de otro ser humano»[4].

Las Escrituras narran una historia diferente. Si Amán era un «agagueo», quiere decir que estaba relacionado a través de la sangre, del espíritu o de la acción con alguien llamado «Agag».

Hay un Agag en las Escrituras. Era un gobernante amalecita que acosaba a Israel en el momento que se ungió a Saúl como el primer rey de la nación. El predecesor de Agag, Amalec, tiene el dudoso reconocimiento de ser el primer enemigo que atacó a los israelitas luego de su éxodo de Egipto[5].

Los amalecitas perpetraron sus crueles guerras de guerrilla contra Israel durante generaciones. Cometieron semejantes atrocidades que Dios le ordenó al rey Saúl que los destruyera por completo. Saúl, en cambio, decidió agradar a la gente en lugar de obedecer a Dios. Le perdonó la vida al rey amalecita, Agag, junto con lo mejor del ganado. Es aquí donde encontramos los inolvidables pasajes del profeta Samuel:

Sin embargo, Saúl y sus hombres conservaron lo mejor de las ovejas y de las vacas, los mejores corderos y, en suma, todo lo que les pareció bueno. Destruyeron solamente lo que era de poco valor o de mala calidad [...]

Cuando Samuel finalmente lo encontró, Saúl lo saludó con alegría.

—El Señor te bendiga —le dijo—. *Bien he cumplido con el mandamiento de Jehová.*

> LO QUE NO ERRADIQUES CUANDO ERES FUERTE, VOLVERÁ A ATACARTE CUANDO ESTÉS DÉBIL.

—*Entonces, ¿qué son esos balidos de ovejas y mugidos de bueyes que oigo?* —preguntó Samuel [...]
—¿Se complace Jehová tanto en los holocaustos y sacrificios como en que se obedezcan sus palabras? La obediencia es mucho mejor que los sacrificios[6].

En el rey Agag vemos el nexo entre el mayor fracaso de Saúl y el mayor desafío de Ester y Mardoqueo. Ester se ve obligada a arriesgarlo todo y a ocuparse de un problema del que su antepasado Saúl se hubiera podido ocupar siglos atrás.

Saúl no obedeció el mandamiento de Dios y, en cambio, le perdonó la vida al rey Agag. Cuando el profeta Samuel se dirigió a Saúl, se ocupó brutalmente de Agag.

Luego [Samuel] dijo:
—Trae al rey Agag.
Agag llegó sonriente [NVI: «muy confiado»], porque pensaba: «Seguramente ya ha pasado lo peor».
Pero Samuel le dijo:
—Puesto que tu espada dejó a muchas madres sin hijos, ahora tu madre quedará sin su hijo.
Y Samuel lo descuartizó delante de Jehová en Gilgal[7].

¿Qué es lo que hizo que un profeta de Dios reaccionara con tanta violencia? ¡Hasta parece fuera de lugar en la conducta de un predicador! ¿Habrá estado fuera de lugar? Quizá Samuel viera en forma profética el futuro y trató con desesperación de cambiar el lúgubre destino de Saúl. El solo hecho de que Saúl le perdonara la vida a su enemigo no quería decir que el destino le perdonara la vida a él.

Aunque el profeta Samuel al fin terminó la tarea que en un principio se le encargó a Saúl, parece que en algún momento *después* que capturara a Agag y *antes* de que Samuel lo ejecutara, este amalecita quizá engendrara a un hijo que preservó su perversa línea de sangre[8]. Si hubieran eliminado a

Agag cuando lo capturaron, las futuras generaciones se hubieran librado de mucho dolor.

Hagamos un avance veloz hasta llegar a varios años después, a la batalla final del rey Saúl contra los filisteos. David, el gran campeón y el principal exterminador de filisteos, todavía se encontraba en el exilio y lejos del campo oficial de batalla debido a los interminables celos y odio de Saúl. (David acababa de derrotar a una gran fuerza de *amalecitas* que todavía existía, en otro campo de batalla[9]. Hasta David tuvo que luchar continuamente contra lo que Saúl podía haber erradicado).

> ELIMINA A TU ENEMIGO AHORA O TUS HIJOS TENDRÁN QUE ENFRENTARLO EN EL FUTURO.

La batalla de Saúl resultó ser una aplastante derrota en la que murieron sus tres hijos. Lo acorralaron en el monte Guilboa y se echó sobre su propia espada, lo que le causó serias heridas[10]. A pesar de sus heridas, la Biblia dice que la vida de Saúl estaba «aún toda» en él[11].

Cuando vio los carros de los filisteos y los jinetes que se acercaban a gran velocidad, recorrió desesperado con la mirada el campo de batalla y vio a un soldado que estaba cerca enfrascado en la lucha. Llamó al joven y le dijo:

—Acaba conmigo. De todas maneras, voy a morir, pero no quiero caer en manos de los filisteos.

—Pero usted es un rey —le dijo el joven.

—No me importa quién soy, debes hacerme este favor —le dijo Saúl. Mientras el joven desenvainaba su espada, el rey de Israel levantó los ojos con la mirada borrosa y con su último aliento le preguntó—: De paso, ¿quién eres?

La espada lanzó un destello bajo la luz del sol mientras el joven respondía:

—Soy un amalecita.

Lo que no erradiques cuando eres fuerte, volverá a atacarte cuando estés débil. Lo que Saúl no eliminó al comienzo de su reino más tarde acosaría a David y a todo Israel.

Generaciones más tarde, «el problema de Saúl», el enemigo que no había erradicado, llegó a acosar a Mardoqueo y a Ester justo en el corazón del Imperio Persa. Se vieron obligados a arriesgar sus vidas para vencer los planes de otro descendiente más de Amalec. Elimina a tu enemigo ahora o tus hijos tendrán que enfrentarlo en el futuro.

Fue Mardoqueo el que le salvó la vida a Asuero, pero todo lo que obtuvo por tomarse esta molestia fue que escribieran su nombre para que al parecer quedara en la oscuridad del diario del rey. Por otra parte, un agagueo desconocido llamado Amán aparece y lo ascienden al puesto más alto de la tierra (salvo el trono del rey).

¿Acaso no es así como se presentan las cosas muchas veces? Tú haces lo bueno y nadie se da cuenta, pero algún otro conspira, roba, actúa en complicidad con otro, ¡y encima se fijan en él y lo ascienden! Mantén la paz; compórtate de manera ética. La historia aún no ha terminado.

Sospecho que el primer lugar en el que Amán apareció vistiendo sus vestiduras de primer ministro fue en la puerta del rey. Quería hacer alarde en público de su nueva autoridad. La tarea de Mardoqueo era trabajar como escriba (o funcionario del rey) *a las puertas del rey*. Satanás se ocupó de que el problema encontrara a Mardoqueo justo donde vivía. ¿No se te parece a la historia de nuestras vidas? Ni se nos ocurre buscarnos problemas, ¡pero estos aparecen en nuestra puerta! La batalla comenzó desde el primer momento en que se vieron.

> Todos los servidores de palacio asignados a la puerta del rey se arrodillaban ante Amán, y le rendían homenaje, porque así lo había ordenado el rey. *Pero Mardoqueo no se arrodillaba ante él ni le rendía homenaje*[12].

Los compañeros de trabajo de Mardoqueo lo presionaban día tras día para que se arrodillara. Al final, Amán se puso hecho una furia. Por lo general, puedes decir cuán grande de verdad es un hombre por el tamaño de los problemas que lo enfurecen. Cuando descubrió que Mardoqueo era un judío, decidió que no era lo suficiente satisfactorio matarlo solo a él, sino que decidió perseguir a todo hombre, mujer o niño judío, y a los animales también. (¡Esto debería parecernos conocido!). Reaccionó de inmediato de acuerdo a su odio. *La limpieza étnica tiene sus orígenes en la antigüedad*.

Para determinar el día y el mes, se echó el *pur*, es decir, la suerte, en presencia de Amán, en el mes primero, que es el mes de *nisán*, del año duodécimo del reinado de Asuero. Y la suerte cayó sobre el mes doce, el mes de *adar*. Entonces Amán le dijo al rey Asuero:

—Hay cierto pueblo disperso y diseminado entre los pueblos de todas las provincias del reino, cuyas leyes y costumbres son diferentes de las de todos los demás. ¡No obedecen las leyes del reino, y a Su Majestad no le conviene tolerarlos![13]

Presta atención a la arrogancia de tratar de determinar y manipular lo que son los intereses del «Rey». Con el tiempo te puedes encontrar en el lado equivocado de una lucha real.

AMÁN CONFIÓ EN EL DADO DEL DESTINO; NOSOTROS CONFIAMOS EN EL DIOS DEL DESTINO

Como siempre, los argumentos utilizados en contra del pueblo de Dios eran una mezcla mortal de verdad y mentira, calculados para producir el odio y la muerte. Amán confió en el *pur*, o «el dado del destino», a fin de decretar la fecha de ejecución de sus enemigos. Lamentablemente para él, no había escuchado el sabio proverbio que dice: «*Lanzamos la moneda al aire, pero el Señor es quien determina el resultado*»[14].

Por lo general, no elegimos el día ni el lugar de nuestras batallas, pero aun cuando el enemigo escoja el día de la batalla y planee con sumo cuidado su modalidad de ataque desde una emboscada, nuestro destino sigue estando en las manos de nuestro Dios en el cielo, que nunca se adormece ni duerme. ¡A Dios nunca lo atrapan fuera de guardia!

Todos pueden tener un mal día, uno de esos días en los que parece que tus enemigos son los que se imponen. En la Biblia hay un personaje llamado Job, un hombre que tuvo un día tan *malo* que las *malas* noticias tuvieron que esperar en hilera para llegar hasta él. En esencia, la respuesta de Job fue la siguiente: «Yo no escogí este día, pero voy a mantenerme firme».

Cuando el enemigo comienza a aparecer, no detengas tu adoración. Job dijo: «Desnudo salí del vientre de mi madre, y desnudo he de partir. El Señor ha dado; el Señor ha quitado. ¡Bendito sea el nombre del Señor!»[15]. Job soportó una pérdida y una destrucción insoportable en su vida, pero se aferró a su fe en Dios y se levantó de sus pruebas con más de lo que tenía antes de que comenzaran estas.

Amán urdió un plan de muerte, pero al tirar el dado se sintió tentado a esperar once meses para ver destruidos a sus enemigos. Sin embargo, no pudo esperar más para anunciar la noticia, así que despachó a los mensajeros del rey por todo el imperio con el *decreto de la muerte de los judíos* el día trece del mes primero, *la misma víspera de la Pascua judía*[16].

OTROS ADVERSARIOS TAMBIÉN TRATARON DE VENDER LA PIEL DEL OSO ANTES DE CAZARLO

No sabemos si Amán escogió esta fecha a propósito, pero si lo hizo, olvidó o no conocía la historia del Dios de liberación que libró a los israelitas de una sentencia de muerte en ese día mucho tiempo atrás. Esto me recuerda a otro gran adversario y a sus secuaces que trataron de vender la piel del oso antes de cazarlo:

Nuestras palabras son sabias porque provienen de Dios, porque revelan el sabio plan de Dios para llevarnos a la gloria del cielo, plan que estaba antes oculto, aunque fue ideado para beneficio nuestro desde antes de la creación del mundo. Los grandes [príncipes] del mundo no lo han comprendido. *Si lo hubieran comprendido, no habrían crucificado al Señor de la gloria*[17].

Lo que Amán no conocía era el secreto de Ester: *Acababa de hacer un complot contra la esposa del rey*. Cuando llegó la noticia de que el plan de Amán se había transformado en una ley por decreto del rey, la tristeza azotó a los judíos. Mientras Amán celebraba, la confusión se apoderaba de la ciudad de Susa[18]. En un lugar, leí:

> La historia de Ester es otro episodio de la antigua guerra entre Israel y los amalecitas, y todo parecía indicar que el pueblo de Dios sería destruido. No tenían rey, ni ejército, ni profeta, ni tierra, ni templo, ni sacerdocio, ni sacrificios.
>
> No eran más que una pequeña e indefensa minoría que vivía a merced de una monarquía pagana, poderosa y despiadada [...] [sin embargo] la promesa que Dios le hizo al comienzo de la nación todavía seguía en pie[19].

La única arma en el arsenal del pueblo judío era una conexión secreta con el rey. El peso del destino pendía pesadamente sobre Ester: ella era todo lo que tenían. Tu vida puede ser todo lo que alguna persona pueda ver de Dios; puedes ser la conexión secreta de alguien con Él. ¡Eres una Ester en potencia! ¡Arriésgate ahora!

Cuando llegue tu «Purim» y el día de los problemas comience a agrandar su sombra amenazadora, comprende que Satanás se ha sobornado a sí mismo para estar en una posición de ataque. No temas; a esta altura es cuando puedes identificar a tu enemigo. ¡El ascenso está en el horizonte! El día se acerca cuando tu enemigo se convertirá en el banquillo que pisarás para elevarte.

> EL TAMAÑO DE TU ENEMIGO ES EL TAMAÑO DE LA CONFIANZA QUE DIOS TIENE EN TU HABILIDAD PARA VENCER.

Cuando Dios se prepara para ascenderte, siempre sacará a luz a tu enemigo. Esto nos lleva a otra lección más que podemos sacar de la vida de Ester: *El tamaño de tu enemigo es el tamaño de la confianza que Dios tiene en tu habilidad para vencer*. Cuanto mayor y poderoso sea, más potencial de elevación hay para tu vida. Nunca puedes llegar a ser lo que se supone que debes ser sin una victoria, y no hay victoria sin una batalla. Cuanto mayor sea la batalla, mayor será la victoria.

Como pronto descubrió Ester, el enemigo de Mardoqueo también era su enemigo. Cuando se enteró del decreto de Amán y escuchó la súplica de Mardoqueo pidiéndole que se presentara ante el rey e implorara misericordia para los judíos, expresó su consternación en una respuesta que le envió a Mardoqueo: «Todo el mundo sabe que cualquiera, sea hombre o mujer, que entre a la presencia del rey sin ser llamado por él está condenado a morir a menos que el rey le tienda su cetro de oro. ¡Hace más de un mes que el rey no me llama a su presencia!»[20].

La respuesta tajante de Mardoqueo reflejaba la urgencia entre la vida o la muerte:

—¿Piensas que porque estás en el palacio escaparás cuando los otros judíos sean muertos? Si callas en un tiempo como este, Dios salvará a los judíos de alguna otra manera, pero tú y tu familia morirán. *¿Y quién sabe si no es para esta hora que has llegado a ser reina?* [21]

El destino de Ester era sorprendente, pero así de grandes eran también los peligros que le hacían frente. Su vida no solo se veía amenazada por un nuevo enemigo muy bien ubicado, sino que también vivía en un entorno casi siempre peligroso. El palacio real de Susa no era en lo más mínimo un lugar seguro para nadie.

Las intrigas palaciegas habían acechado a todos los reyes de esa dinastía. Hasta el poderoso rey Asuero no estaba inmune a la malicia humana y a los planes de posibles asesinos, amigos que eran tales solo en las buenas, parientes celosos y amargados oponentes políticos.

La posición más peligrosa de todas en aquel gran reino era *cualquier lugar que no estuviera del lado* del favor del rey. Como soberano del antiguo Imperio Persa, Asuero tenía el poder absoluto de la vida y la muerte sobre cada persona y animal que vivía dentro de los confines de su influencia. No había corte, ni oficial, ni poder terrenal capaz de contrarrestar sus caprichos, deseos u órdenes[22]. *Todo esto tuvo que aprender Ester acerca del protocolo del palacio* y de cómo comportarse en la presencia del rey.

MARDOQUEO LE PIDIÓ A ESTER QUE LO ARRIESGARA TODO

Cuando el poder absoluto se combina con la falta de piedad y la decadencia, nadie está a salvo. Los historiadores dicen que Asuero se enojó tanto luego de que una tormenta demorara la terminación de un puente durante su campaña contra Grecia, ¡que decapitó a los hombres que lo construían![23] ¿Quién podía sentirse a salvo frente a semejante inestabilidad con tal poder ilimitado? Sin embargo, Mardoqueo le pidió a Ester que lo *arriesgara todo* al desafiar abiertamente el protocolo de la corte de un rey conocido por sus súbitos ataques de ira.

Sin lugar a dudas, Ester conocía la historia de Vasti. La suerte de la reina anterior *debe* haber provocado el temor en la mente y el corazón de Ester (y de todos los que rodearan a Asuero. En el mejor de los casos, Vasti desapareció de la presencia del rey por el resto de su vida. En el peor de los casos, es muy posible que la ejecutaran). Las apuestas en este arriesgado juego no podían subir más. ¡Esto era riesgo contra recompensa!

Lo peor de todo era que Ester sabía *con exactitud cómo moriría* si no hallaba el favor de Asuero en ese día fatídico. Había visto a los descomunales guardaespaldas parados detrás del magnífico trono del rey durante las ceremonias oficiales de estado en la sala real del trono.

Las escenas de los destellos de luz que salían de los afilados bordes de las lustrosas hachas de batalla que sostenían en la mano los guardaespaldas del rey habrán ardido en su memoria. Las imágenes la perseguían porque esas hachas no eran ceremoniales.

¿Quién sabe cuántas veces los guardias habrían tenido que limpiar deprisa la sangre de sus víctimas que quedaba en los filos de las hachas mientras los sirvientes del palacio juntaban las partes desmembradas de los cuerpos a fin de que la corte real pudiera reabrirse para los visitantes que esperaban? (¿A quién le gustaría ser el *siguiente visitante en espera* mientras los sirvientes con rostros cenicientos limpiaban los últimos rastros de un «incidente» y salían de nuevo de la presencia del rey?).

Acercarse al trono del rey era un asunto arriesgado, incluso teniendo una invitación y bajo las mejores circunstancias. Aun así, Ester tendría que desafiar una sentencia de muerte vigente con el propósito de entrar a su presencia *sin invitación*. Si él no le extendía el cetro, o si estaba distraído y se movía con un poco de lentitud, su cabeza podía rodar por el suelo con un solo golpe certero... reina o no.

El temor con el que Ester haría su entrada inesperada a la sala del trono se veía magnificado por el conocimiento de la remoción caprichosa (y reciente) de Vasti. Si el rey había depuesto a una reina por un capricho debido a un desaire, ¿qué le haría a una nueva reina que, a sabiendas, entraba sin que la llamaran a su presencia?

Sin vueltas, a Vasti la eliminaron por rechazar la invitación de presentarse ante el rey; a Ester la podían eliminar por presentarse ante el rey *sin* una invitación.

¿EL FAVOR DE LA CÁMARA PRIVADA DARÍA RESULTADO EN LA SALA DEL TRONO?

Ester sabía lo que era disfrutar del favor del rey en el ámbito de la cámara privada real, ¿pero el favor de la cámara privada influiría en el corazón del rey en el ámbito más formal y severo de la sala del trono de Persia?

Esta era la zona política de poder, el ámbito literal de los degolladores políticos. Era la corte donde se movía el nuevo *primer ministro* del rey, al que se le conocía como el «guardián de las audiencias». Amán era el «medio de acceso» al rey, el obstáculo oficial del estado que estaba firmemente en pie entre Asuero y el mundo exterior. Por tradición, era celoso y sospechaba de todos, en especial de la reina, los que pudieran amenazar la atención, el favor y el poder del rey que le pertenecían. (Muchas veces, los hombres en estas posiciones tenían planes en cuanto al trono mismo).

Para empeorar las cosas, hacía treinta días que a Ester no la llamaban a la presencia del rey. No podía estar segura de cuál era su estado de ánimo en ese momento. Los lóbregos recuerdos de las guerras contra los griegos y la humillante derrota en la bahía de Salamina estaban grabados para siempre en la mente del rey. (Relatos históricos griegos dicen que el rey Asuero, confiado del todo, estaba sentado frente a la bahía de Salamina en Grecia, en un trono suspendido sobre un promontorio, mientras a la parte central de su flota de guerra la rodeaban en la estrecha bahía y la derrotaban ante sus ojos[24]). ¿Cómo reaccionaría frente a la intromisión de alguien sin invitación?

¿CÓMO PERSUADES O INFLUYES DE MANERA LEGAL EN UN REY?

Los que sabían, comprendían que había tres fuentes de poder terrenal que, algunas veces, se sabía que podían influir de manera legal y significativa las decisiones del rey de Persia:

1. la ley de los medos y los persas;
2. el consejo de confidentes y líderes militares de confianza; y
3. la influencia íntima y sutil de las esposas y amantes.

Aparte de estos caminos, el rey parecía casi inaccesible.

Ester se enfrentaba a una elección imposible: ¿Debía guardar silencio para tratar de salvarse a sí misma y así sacrificar a su pueblo, o debía arriesgarlo todo y quizá sacrificarse a sí misma a fin de salvar a su pueblo? Sabía que la ley de los medos y los persas estaba *en su contra* en esta crisis: Podían matarla de inmediato si entraba a la presencia del rey sin el permiso previo.

Algunas veces, la ley natural está en tu contra; es entonces cuando necesitas la «ley sobrenatural». La ley natural dice: «Pedro, no puedes caminar sobre las aguas». La invitación al reino de lo sobrenatural dijo: «Sal de la barca». La ley natural decía: «Ester, no puedes entrar a la corte del rey». Su respuesta la lanzó hacia lo sobrenatural: «Si perezco, que perezca; pero yo iré a ver al rey».

Te animo, amigo, a que prestes atención al susurro que te invita a lo sobrenatural: ¡Sal de la barca! ¡Sal de tu zona de comodidad y pon la vista en la zona del trono! ¡El destino te espera!

Las reinas y las princesas podían morir con la misma rapidez que los mendigos y los campesinos en ausencia del favor del rey, pero Ester sabía algo que nadie más sabía: Tenía la carta secreta del triunfo. Conocía el protocolo del palacio, pero también conocía el poder de la intimidad. Esto nos revela otra lección que aprendemos de su vida: Estaba dispuesta a arriesgarlo todo al creer que *la preparación triunfa en el acceso a la presencia del rey*.

> LA PREPARACIÓN TRIUNFA EN EL ACCESO A LA PRESENCIA DEL REY.

Ester sabía cómo moverse en medio de las reglas rígidas del protocolo del palacio, las peticiones formales y las posiciones políticas. Había descubierto el poder de la preparación y la fuerza de la pasión. Ya había transformado la cita de una noche en una relación para toda la vida.

Ahora se enfrentaba a una crisis de proporciones históricas que probaría como nunca antes la fuerza y la profundidad de su relación con el rey. Su nuevo enemigo que la desafiaba estaba ganando terreno en la lucha por la mente y el favor del rey, y lo hacía en un campo de batalla muy lejano a las cámaras privadas del rey.

Amán parecía tener el control absoluto sobre quién podía entrar en ese campo de batalla y bajo qué condiciones podía hacerlo. Como «guardián de las audiencias», era el único que decidía a quién se invitaba a la sala del trono del rey y a quién no. Cualquier persona a la que Amán rechazara (u obviara con pasividad) solo podía pasar por encima de él a través del reto del cetro extendido para acceder al rey. Este era el proceso mediante el cual Asuero podía invalidar el acceso muy bien custodiado al trono. *Si* te veía y *si* te favorecía, extendería el cetro hacia ti luego de que entraras de forma ilegal a su sala del trono.

Es probable que el protocolo requiriera una *notificación previa* y considerables sobornos para entrar en «la lista». Ester no tenía tiempo y no había suma de dinero capaz de disminuir el deseo de Amán de debilitar la influencia sobre el rey. (Recuerda que hasta esta altura nadie, incluyendo a Amán, sabía que la reina era judía. El antagonismo de Amán con Ester quizá se limitara a los celos competitivos hacia otra persona de la corte que tenía influencia sobre la vida de Asuero).

La crisis no le dejó alternativas a Ester: Tendría que esquivar este obstáculo agagueo y entrar sin invitación, corriendo un riesgo personal muy alto. Debía dar un salto de fe de vida o muerte pasando por un peligroso desfiladero que tenía a un rey distante y a un protocolo cortesano rígido por un lado y a un enemigo mortal por el otro. Lo único que podía salvarla era el cetro extendido del *favor* real. *A veces debes arriesgarlo todo para convertirte en «eso mismo» que se supone que debes ser*.

La reina entendía mejor que nadie que no se enfrentaba a un paseo despreocupado por la corte del rey. Surge otra lección de la crisis de la reina Ester: No puedes subir la escalera de la fe y permanecer en la tierra al mismo tiempo. En algún momento, tus pies deben dejar de tocar el suelo. Antes de presentar la tarjeta de crédito, debes estar seguro de que vale la pena. Debes preguntarte: «¿Este asunto es lo suficiente importante como para arriesgar mi vida?». Ester escuchó la advertencia de Mardoqueo y tomó la decisión con determinación.

> A VECES DEBES ARRIESGARLO TODO PARA CONVERTIRTE EN «ESO MISMO» QUE SE SUPONE QUE DEBES SER.

Ester le envió a Mardoqueo esta respuesta: «Ve y reúne a todos los judíos que están en Susa, para que ayunen por mí. Durante tres días no coman ni beban, ni de día ni de noche. Yo, por mi parte, ayunaré con mis doncellas al igual que ustedes. Cuando cumpla con esto, me presentaré ante el rey, por más que vaya en contra de la ley. *¡Y si perezco, que perezca!*»[25].

Una expresión popular de la zona rural estadounidense dice: «Baila con el que te trajo...». En otras palabras: «No cambies el método; sigue haciendo lo que sabes que da resultado». Mientras Ester se preparaba para entrar a la sala del trono de Asuero, se dijo: «Recuerdo cómo llegué aquí por primera vez. En esa ocasión, me dirigí al rey, me concentré en él y no en mí».

Ester se preparó para recrear su primera entrada. No importaba que el campo de batalla fuera diferente y que todos los demás usaran distintas armas. No apuntaría a la cabeza; *apuntaría al corazón*. Sabía con exactitud el color preciso de ropa que debía ponerse y cuál era la fragancia que tenía un secreto especial.

(Conocemos a otra persona que recurrió a las «armas probadas» de sus primeras batallas [...] David se quitó la armadura y las armas del rey Saúl para darle preferencia a los sencillos instrumentos de un pastor de ovejas. Cuando se enfrentó a Goliat, prefirió las armas del favor de Dios que ya conocía, aunque el campo de batalla y el oponente hubieran cambiado[26]).

> **El aroma colectivo de la humildad de muchos es más poderoso que el de un individuo.**

Ester también se preparó con humildad. En esencia dijo: «No actuaré con arrogancia». A Mardoqueo le dijo: «Ayuna y ora. En realidad, pídele a todos los judíos que se encuentren en Susa que oren y ayunen por este asunto». Algunas veces, pasas por alto la ayuda de los demás y no dices: «Mira, estoy haciéndole frente a un momento muy crítico en mi vida. Necesito tu ayuda en este mismo momento».

Si te enfrentas a una situación riesgosa, tal vez debas ponerte en contacto con los que te rodean y debas decirles: «Sabes, siento que a mi vida se aproxima una cita con el destino. Debo tomar algunas decisiones. ¿Me ayudarías a prepararme? ¿Podrías orar y ayunar?». Otra lección más surge de la difícil situación de Ester: El aroma colectivo de la humildad de muchos es más poderoso que el de un individuo.

Al tercer día, terminaron los preparativos de Ester. Era hora de arrojarse sobre la alfombra de la misericordia entretejida por el favor. Es probable que sus propios guardaespaldas musculosos que se encontraban afuera de las puertas de la corte real le rogaran que lo volviera a considerar. «Pero, reina Ester, ¿no recuerda la ley de los medos y los persas? Esta clase de cosas sencillamente no se hacen; la pueden *matar*. Nadie entra en la presencia del rey sin una invitación; va en contra del protocolo y de todo sentido común. Nadie se acerca al rey en su trono sin el consentimiento de Amán». Es evidente que su temblorosa respuesta fue: «Abran la puerta o lo haré yo misma».

Satanás hará todo lo posible para mantenerte fuera de la corte de la adoración. Usará cualquier distracción, desde dolores de cabeza hasta dolores del corazón, desde el clima hasta la salud, pero tú debes tomar la decisión: «Si perezco, que perezca, pero yo voy a ver al Rey».

Ester se decidió. *Gastaría su favor para adquirir su destino*. En el instante en que entras a la corte de la adoración con esa idea en mente, la habilidad de Satanás para controlar tu acceso a la presencia del Rey queda nula.

> GASTARÍA SU FAVOR PARA ADQUIRIR SU DESTINO.

Tres días más tarde, Ester se puso sus vestiduras reales y entró al patio interior, al salón real del palacio, donde el rey estaba sentado en su trono. *Cuando él vio a la reina Ester que estaba de pie allí, le agradó* y le tendió el cetro de oro. Ester se acercó y lo tocó[27].

La mayor parte de la batalla se libró fuera de la corte: *Una vez que estás en la presencia del Rey, ¡la batalla está prácticamente terminada!*

Parece que hubo otra mujer que arriesgó todo para darle la bienvenida al Rey. Su centro de atención y su pasión hacia Él le hicieron ganar la aclamación en todo lugar en que se conoce al Rey. Como escribí en *Los captores de Dios*:

> ¿Serás una María, una persona apasionada que rompa el frasco que contiene la fragancia del quebrantamiento? En primer lugar, debes abandonar la multitud de voces que tratan de robarle la adoración a Dios o de retenerla en nombre de la preservación del programa del hombre [...]
>
> El Padre se inclina sobre las murallas del cielo. Escucha el crujido y el tintineo de los frascos de alabastro que se rompen. ¿Es el sonido de tu corazón que se quebranta? Una fragancia increíble llena la atmósfera y escucho los rumores de su repentina aparición[28].

María *tocó* los pies, la cabeza y el corazón del Señor con el aceite fragante de su extravagante adoración. No basta con entrar a la corte del Rey. Aprendemos de Ester que *cuando la majestad está sentada sobre el trono del juicio, también se debe aceptar la gracia extendida*. Debes tocar el cetro. En realidad, la adoración no es adoración a menos que lo toques a Él.

> UNA VEZ QUE ESTÁS EN LA PRESENCIA DEL REY, ¡LA BATALLA ESTÁ PRÁCTICAMENTE TERMINADA!

Mientras trabajaba en este libro, recordé de repente el primer sermón que prediqué (a la madura edad de dieciséis años).

Es irónico, pero se basaba en el libro de Ester y se titulaba «Es hora de tocar el cetro».

El saludo verbal y despreocupado del rey quizá fuera suficiente en la intimidad de la cámara privada del rey, pero Ester sabía que en el ámbito oficial, en el que ejercía su capacidad de juez y legislador, el cetro era un símbolo de su poder y autoridad. Debía tender la mano y tocarlo para recibir el perdón de la pena de muerte que disponía la ley. (Sin embargo, Ester debía preguntarse si se lo extenderían).

Sabemos que nuestro Señor y Rey Jesucristo ya ha extendido su cetro de gracia hacia nosotros. El velo, la puerta de separación entre la humanidad pecadora y la santa Deidad, se abrió partiéndose en dos. Su Palabra dice: «Acerquémonos, pues, confiadamente al trono de Dios y hallemos allí misericordia y gracia para el momento en que lo necesitemos»[29].

Acerquémonos confiadamente, pero no sin preparación. Ester y la iglesia pueden entrar de forma precipitada en los lugares que los ángeles temen pisar, pero la esposa del Rey debe saber qué colores le agradan a Él. (Una vez más, tal vez sea el rojo escarlata, el color de la sangre que derramó en la cruz). También conoce la fragancia favorita del Rey. (El Rey de reyes se deleita con la fragancia de la alabanza y la adoración que se ofrece desde los corazones puros). La esposa debe saber con seguridad cuál es el vestido favorito del Rey. (¡Ponte el manto de alabanza!).

Ester no dijo: «Ven a cenar, pero *asegúrate de traer* tu cetro, tu anillo sello, tu autoridad y, por supuesto, algunos secuaces». Solo dijo: «Quiero que vengas y que traigas contigo a Amán».

A menudo nuestra petición a Dios por un avivamiento es: «Deseamos que nuestra iglesia crezca. Deseamos tener poder para resucitar a los muertos. Deseamos...».

Estamos ocupados pidiendo cosas *de* Él, cuando *Él* piensa que todo es *para* Él. Debemos aprender a decir como Ester: «Solo te quiero a ti». (Deberíamos entender que cada vez que viene, su cetro viene consigo en forma automática. Cuando Jesús dijo: «El reino de los cielos está cerca», se refería a que está *al alcance de las manos*).

ESTER ARRIESGÓ SU FAVOR PARA LOGRAR SU PROPÓSITO.

Ester sabía que si tenía el rostro del rey al alcance de las manos, todo el poder del reino estaba cerca también. A veces no llegamos a conectar las dos cosas. Esto nos trae otra lección del libro de Ester:

Algunas veces tienes que arriesgarlo todo para ver al Rey, incluyendo tu reputación. Olvídate de quién está a tu lado. Obvia a todos los demás en la corte de la adoración. Concéntrate en el Rey. ¿A quién le importa lo que piensan los demás? ¿Qué es lo que a *Él* le gusta?

Entonces llega un punto en el que la relación sobrepasa al protocolo, pero no lo intentes hasta que aprendas el protocolo de su presencia. Existe un límite angosto entre la familiaridad de la intimidad y la presunción despreocupada.

Como he dicho, mis hijas saben que, la mayoría de las veces, pueden entrar a mi oficina esté quién esté conmigo. Eso se debe a que la relación íntima amplía los límites del protocolo. (Ester había aprendido la lección del protocolo de tal manera que podía alargar los límites de una manera que hubiera sido el fin para otros menos capacitados en el protocolo del palacio).

Mis hijas tienden a entrar a mi oficina de maneras diferentes y les hacen ajustes a sus métodos si un visitante se encuentra en la habitación. Por lo general, se desplazan con sigilo y en silencio hacia mí, y demuestran ser observadoras del hecho de que hay otra persona presente. Asienten o sonríen para demostrar que la han visto. Tal vez quieren preguntarme: «Papi, ¿puedo ir a tal o cual lado?», o: «¿Puedo ir a ver una película con tal persona?». Sin embargo, *esperan con paciencia a que llegue su momento*. ¿Por qué? Porque saben que otras cosas se llevan a cabo en esa habitación.

Ester era consciente de que había otras cosas que se llevaban a cabo en la sala del trono. Tal vez percibía un denso manto de intriga y celos. Es probable que supiera que Amán se rascaba su puntiaguda cabeza, tratando de imaginar por qué ella todavía estaba con vida y por qué recibía un favor tal sin precedentes.

La reina conocía el protocolo del palacio; sin embargo, basada en algo todavía más poderoso, arriesgó todo para salir de su ámbito normal y entrar como una intrusa a la sala del rey. Se dijo: «Me prepararé. No iré allí sin fragancia y sin acicalarme. Me prepararé, pero mientras pongo en práctica todo el protocolo, cuento con que *el peso de este encuentro recae sobre mi relación con el rey*».

A esta altura, pasó por alto a todos los demás que estaban en la corte y concentró su mirada y corazón en el rostro de Asuero. Algunas veces, el propósito requiere que te entregues por completo a la fidelidad de Dios.

¿Eres lo suficiente fuerte como para arriesgarlo todo a fin de obtener la presencia del Rey? ¿Tienes lo que se necesita para gastar tu favor en la adquisición de tu propósito? Cuando el destino te empuja al borde de la desesperación y a los límites de tus capacidades, echa tu futuro en las manos de Dios y da un salto de fe.

Comienza concentrándote en Él y «baila con aquel que te trajo a esta cita con el destino».

CAPÍTULO 9

APRENDE A ADORAR FRENTE A TU ENEMIGO

Pero mantén tus ojos puestos en el rey

═══

Hay veces en las que no tienes el poder para decidir quién se sentará frente a ti en la mesa de la cena o en el escritorio del destino. ¿Qué haces cuando alguien que se opone a ti o que parece odiarte sin motivo ocupa una oficina y comparte tu lugar de trabajo, se sienta detrás de ti en una clase o se muda a la casa de al lado?

Tienes las mismas posibilidades que tenía Ester el día que preparó el banquete para su esposo, el rey Asuero, y su nuevo enemigo, el poderoso primer ministro Amán. *Podía concentrarse en el problema o podía concentrarse en la solución.*

Podía ensombrecer su alma con la visión de la base impresionante de poder de su enemigo y de su odio insaciable, o podía llenar su vista con la visión del rey. ¿Cuál de las dos elegirías?

El momento crucial para Ester vino tres días después de haberle pedido a Mardoqueo y a los judíos de Susa que se unieran a ella en un desesperado ayuno. En este día, la reina se atavió con vestiduras reales (sin lugar a dudas, con el color preferido del rey) y entró a la sala del trono del palacio sin invitación. Volvamos a visitar brevemente la escena.

El rey de Persia tenía muchos enemigos poderosos y con recursos, incluso en su palacio, así estoy seguro de que elegía solo a los mejores soldados y a los guardianes más alertas del imperio para que fueran sus guardaespaldas. Tengo la certeza que ellos vieron a Ester antes que ningún otro cuando hacía su entrada ilegal. Según la tradición que han seguido las fuerzas de seguridad ejecutivas a lo largo de la historia humana, sus reflejos rápidos como un rayo estaban programados para «actuar primero y juntar las pruebas después».

El riesgo para Ester era muy real. Los verdugos preparados tenían la orden de proteger al soberano a toda costa. (Lo más probable es que estos guardias reconocieran a Ester, pero la orden ejecutiva de la muerte instantánea podía dejarse de lado solo mediante la intervención directa e inmediata del rey).

También es probable que *ya* hubieran salido corriendo de atrás del trono del rey con las hachas en alto. Tenían toda la intención de interceptar y derribar a cualquier intruso sin autorización, ya fuera que se tratara de un traidor disfrazado de reina o de la misma reina.

SOLO UNA ORDEN REAL PODÍA REVOCAR SU SENTENCIA DE MUERTE

En potencia, la ventana de seguridad se media apenas en unos escasos segundos. Solo un tono de mandato en la voz del rey podía revocar la sentencia de muerte automática de Ester y detener las hachas levantadas que se abalanzaban sobre ella a toda velocidad.

Cuando él [Asuero] vio a la reina Ester que estaba de pie allí, le agradó y le tendió el cetro de oro. Ester se acercó y lo tocó.
—¿Qué deseas, reina Ester? —le preguntó el rey—. ¿Cuál es tu petición? Te daré todo lo que quieras, aun cuando sea la mitad del reino[1].

Ester no tuvo que esperar mucho. En el momento en que el rey Asuero levantó la vista y la vio, recibió el favor porque al rey «le agradó» y le extendió el cetro de oro[2]. Es probable que los aliviados guardias escoltaran a Ester cuando se acercó al trono del rey y tocó la punta de su cetro para aceptar formalmente su favor.

—Si le parece bien a Su Majestad —respondió Ester—, venga hoy al banquete que ofrezco en su honor, y traiga también a Amán.

—Vayan de inmediato por Amán, para que podamos cumplir con el deseo de Ester —ordenó el rey.

Así que el rey y Amán fueron al banquete que ofrecía Ester [3].

¿En qué pensaba Ester? ¡El Rey le ofreció la mitad de su reino y ella prefirió invitar a Amán a su casa a cenar! ¿Por qué alguien en su sano juicio invitaría a su peor enemigo a un banquete privado que casi siempre se reservaba para el cónyuge real?

Las situaciones desesperantes exigen medidas desesperantes. En la primera presentación ante el rey, en la «escaramuza» inicial por obtener el favor, ¡Ester no arriesgó nada porque no tenía nada! Era una simple campesina a la que le dieron la oportunidad de convertirse en reina. No existe una desventaja potencial en eso. ¿Cómo te pueden degradar del estatus de campesina?

Sin embargo, esta vez el riesgo era enorme. Se arriesgaba a que la degradaran, a que la eliminaran, a que la mataran. Pregúntale a Vasti lo excesiva que puede ser la condena.

Ester lo *arriesgaría todo*, cambiaría todo el favor acumulado por una oportunidad de salvarse a sí misma y a su pueblo.

¿Cuál sería su estrategia?

> PROTOCOLO DEL PALACIO
>
> 7. Si tu enemigo es el enemigo del Rey, tu batalla es la batalla del Rey

La mayoría de nosotros habría dicho sin pensar la petición a los pocos segundos de tocar el cetro del rey y es posible que en nuestro apuro nos lo hubieran negado. Muchas veces Satanás quiere distraernos al convencernos de pelear la *batalla adecuada*, pero en el *campo de batalla equivocado*. Que alguien luche por lo bueno desde la postura indebida puede ser una manera fatal de ejercitarse en lo inútil.

Esto saca a la luz otra lección que aprendemos de la vida de Ester: *Si tu enemigo es el enemigo del Rey, tu batalla es la batalla del Rey*. Ester tenía un plan de ataque y el arma que escogió fue un banquete preparado de modo especial y servido de manera hermosa. (¿A cuántos hombres se ha desarmado o al final se ha ganado a través del estómago?).

Según las costumbres persas, muy pocas veces los hombres y las mujeres celebraban banquetes juntos en reuniones públicas. En circunstancias normales, la única mujer que podía compartir las comidas en privado con el rey era la reina. (Tal vez esto fuera una manera de asegurarse contra complots furtivos de asesinato). Por lo tanto, era muy *poco común* que la reina invitara al rey a un generoso banquete fuera de su entorno habitual. ¡La inclusión de Amán *no tenía precedentes*!

SIN SABERLO, AMÁN ENTRÓ EN UN CAMPO DE BATALLA MORTAL

Por más extraño que fuera que invitara a otro hombre a un ambiente tan íntimo y privado, creo que fue bien visto. Los ojos de Amán estaban ciegos por completo al hecho de que en verdad entraba en un campo de batalla muy mortal, uno para el que estaba pobremente equipado. Las hachas de lucha y las espadas ejercen poco poder en este campo de batalla. Esto me recuerda la frase: «Porque las armas de nuestra milicia no son carnales»[4].

Cuando tu vida y lo que depende de ella están en riesgo debido a las amenazas y las conspiraciones de otras personas, o de Satanás, ¿resistirás la pelea en su campo de batalla? ¿No sería mejor trasladar la lucha a otro lugar donde tú tengas la ventaja?

Ester corrió un riesgo fríamente calculado y trasladó la batalla por el destino de los judíos fuera de la corte política que le resultaba conocida a Amán y la llevó a su territorio más conocido de favor íntimo. No tenía control sobre Amán, pero sí *tenía influencia sobre el rey*.

Algunas veces, tratamos de ejercer influencia en la arena equivocada. En un tiempo, Ester no tenía influencia sobre el rey ni sobre su corte. Por el designio de Dios y mediante su intervención detrás de la escena, Ester aprendió los secretos de la adecuada preparación para estar en la cámara del rey y convertir su única noche con el rey en su favor para toda la vida.

Amán era una criatura despiadada, impulsada por el odio, la avaricia y la búsqueda de ganancia personal. No le importaba el hombre ni la bestia. Si alguien o algo se interponía en su camino o le impedía el progreso en la escalera del éxito, los hacía picadillo de manera política.

Como depredador político, es probable que Amán viera, en un principio, a la reina de Persia como una enemiga. Después de todo, tenía un acceso privado al rey que él no tenía. Sin embargo, la última maniobra de Ester de incluir a Amán en su invitación real para celebrar una fiesta con Asuero hizo que las sospechas del primer ministro desaparecieran al instante bajo el brillo que lo encandilaba de felicitación propia.

De repente, Amán comenzó a sentir un fuerte deseo de cultivar esta fuente recién hallada de poder y acceso por medio de Ester. En los treinta segundos que tardó en procesar la orden urgente del mensajero del rey, las «acciones» de la reina subieron y su «favor» se convirtió en otra fuente que alimentaba el horno del ego que lo consumía.

Es irónico, pero este maestro de las intrigas no tenía idea de que la reina Ester trasladaba a propósito esta batalla del destino a su propio terreno conocido de la corte en donde empuñaría las armas probadas de la adoración y el favor.

En épocas contemporáneas, todos los adictos al deporte conocen la ventaja que representa para un equipo jugar en su campo de juego. El campeonato siempre parece quedarse en el equipo que juega en su propio terreno.

Era como si Ester supiera por instinto: *«Debo trasladar esta batalla a un lugar más íntimo».* Una cosa era enfrentar a Amán en la atmósfera polémica de una corte formal. Sin embargo, otra cosa del todo diferente era cambiar el ambiente y buscar el favor del rey en una fiesta íntima en su honor.

La postura de «adoración» *es* tu campo de ventaja. No luches contra tu Amán personal de una manera polémica; atráelo a una atmósfera de adoración.

Luego de entrar sin invitación al santuario interno y con la tensión palpable de su *segundo* encuentro de vida o muerte a sus espaldas, más tarde aquel día Ester se enfrentó a una decisión estratégica. Pronto se sentaría a comer con el rey *y* con su enemigo. ¿Cómo actuaría? ¿Cómo usaría esta oportunidad para estar en una posición de ventaja con respecto al rey y en contra de su enemigo?

Volvería a su primer y más importante principio de batalla para buscar el favor del rey: *Descubre qué le gusta al rey*. No importaba lo que prefiriera ella, ni importaba en absoluto lo que más deseara Amán. En esta abundante comida solo importaba un paladar.

Para cuando tuvo lugar este certamen de rosas entre la reina Ester y el primer ministro Amán, ya hacía tiempo que había desaparecido el aroma ofensivo de «la granja» en la jovencita judía que se había convertido en reina.

La campesina exiliada de Babilonia era ahora la majestuosa Ester, reina del Imperio Persa. Llevaba a sus espaldas muchos años en la vida exótica de la corte, en los banquetes reales de estado y en las comparecencias oficiales en público. ¡Era una reina hecha y derecha! Aun así, la transformación no era total.

ESTER CONOCÍA EL VALOR DE LA PREPARACIÓN

Ester no planeaba ofrecerle al rey un sándwich de queso a la parrilla en la cocina y tirárselo en un plato plástico. Esta mujer conocía de primera mano el valor de la preparación. Pasó un año preparándose para su primera noche con el rey y todavía seguía cosechando recompensas por la diligencia de entonces. Esta vez, pasó tres días preparando su corazón y su vida para entrar a la corte sin invitación.

¡La presión estaba en marcha! ¿Te imaginas la respuesta cuando la reina Ester regresó esa mañana y llamó a todos sus sirvientes para decirles: «Muchachos, estamos a punto de tener un festín que durará toda la noche»? Hasta puedo escuchar a sus cocineros confabulándose en secreto con los jefes de la cocina del palacio del rey: «Escuchen, la reina Ester nos dice que preparemos una pechuga de colibrí que es tan buena que el rey come demasiado cada vez que la preparan. ¡Él vendrá *a nuestro sector*! La reina dice que si ustedes nos dicen sus secretos, a cambio nosotros...».

En el palacio, todos deben haber estado conmocionados ante la noticia de que el gran rey Asuero saldría de su sector del palacio para celebrar un banquete privado con la reina y el primer ministro. Esto estaba fuera por completo del protocolo oficial de estado. Todo el palacio bullía.

Cuando la presencia manifiesta de Dios avanza sobre nuestro ámbito diario y se vuelve tangible en la iglesia o en la cultura, decimos que es un «avivamiento». Por la historia sabemos que toda la sociedad bulle cuando la esencia divina de Dios entra en el campo humano.

EXISTE UN PROTOCOLO MÁS ALTO DE SU PRESENCIA

> TU PRIMERA Y MÁS APASIONADA PETICIÓN DEBERÍA SER LA DE LA PRESENCIA DEL REY.

Esta saga comenzó con la elección intuitiva de Ester mientras estaba en la sala del trono, al decidir procurar la presencia del rey en el banquete en vez de buscar su respuesta inmediata a su petición. ¿Qué decisiones tomas cuando te acercas al trono del Señor en oración y alabanza? Cuando entras, ¿luchas con una urgencia interna de presentar tus peticiones, contarle tus problemas y describir todas las injusticias que te han hecho? (Si lo haces, no te culpo, pero existe una manera mejor, un protocolo más alto para su presencia...).

¿Por qué conformarse con la mitad del reino si puedes tener al Rey? Si tienes al Rey, ¡todo el reino está a tu disposición!

Ester tenía algunas peticiones muy urgentes y algunas quejas legítimas que decirle a Asuero, pero decidió pedir más tiempo en su presencia *primero* y honrarlo con toda su atención puesta en él. Más tarde, hablaría sobre sus problemas.

Cuando el rey le preguntó en un principio a Ester lo que quería y le prometió hasta la mitad de su reino, ella le dijo: «Si he hallado gracia ante su majestad, *quiero que tú y Amán vengan hoy a un banquete que he preparado para ustedes*»[5].

Ester nos enseña que nuestra primera petición debe ser el requerimiento de la presencia del Rey. Traslada tus necesidades, tus deseos y tus temores a un segundo plano. Lo primero que debes pedir es exclusivamente su presencia. Esta es la verdadera esencia y el meollo de la adoración. Dios anhela que tú y yo busquemos su rostro, no solo las bendiciones de sus manos. Una vez más aprendemos una lección de Ester: *Tu primera y más apasionada petición debe ser el requerimiento de la presencia del Rey*. «¡Solo te quiero a ti en el banquete de mi adoración!»

¡Qué sabia fue Ester! Entendía que si podía entrar en la presencia del rey, en forma automática obtendría el acceso a su cetro real con todo su poder. Había obtenido esa sabiduría mediante la aplicación personal de todos los secretos aprendidos del chambelán del rey.

Para esta altura, los niveles de excelencia de Ester, y en particular su conocimiento de los deseos, gustos y principales deleites del rey, eran mucho más altos y refinados que los de la primera noche que pasó en su presencia. Había comenzado con las instrucciones rudimentarias recibidas del chambelán del rey y las había plantado fielmente en el terreno del corazón del rey. Ahora, luego de pasar varios años como esposa del rey y reina, la cosecha de esas primeras semillas de conocimiento sobre el corazón de Asuero fue inigualable.

Cuando Ester prometió preparar un banquete para su rey, él sabía que esa era *en verdad* su motivación. La manera rápida en que aceptó esta invitación sugiere una confianza impresionante en cualquier cosa que implicara la velada con Ester. Este banquete privado sería una fiesta genuina para los ojos, el corazón, el gusto y el estómago. Sabía que la reina Ester no le proporcionaría un aperitivo con galletas y queso, ni entremeses para comer con las manos.

Si Amán hubiera sido lo suficiente tonto como para preguntar, el rey le hubiera dicho que podía esperar toda clase de manjares deliciosos y los vinos más selectos conocidos para los paladares educados y exigentes de la realeza. Nadie sabía mejor cómo complacer al rey que su majestuosa reina, *y él lo sabía*.

Ester hizo bien las cosas. Cuando invitó a Asuero a su banquete, *no hubo vacilación*. No solo aceptó de inmediato, sino que también despachó enseguida a un mensajero ordenándole a Amán que dejara todo, suspendiera sus programas, cancelara sus citas y obedeciera la petición de la reina.

ESTER ERA FAMOSA POR LA EXCELENCIA EXTRAVAGANTE

Este esposo real no estaba dispuesto a perder esta oportunidad de disfrutar la prodigalidad de su reina. ¡Ester tenía una fama establecida por la excelencia extravagante hacia su esposo y rey!

¿Qué sucedería si la iglesia tuviera una fama establecida por la excelencia extravagante hacia su Rey y Esposo? ¿A cuántos enemigos, para su total consternación, les ordenaría que asistieran a nuestros banquetes de alabanza y adoración? ¿Dios está dispuesto a suspender los programas de su reino para asistir a tus servicios de adoración o aparece muy de vez en cuando en su gloria manifiesta? ¿Tienes una fama establecida en el cielo por tu adoración en la tierra?

Si le pidiéramos a Dios que viniera a nuestro banquete de alabanza, ¿les daría a nuestros enemigos un brillante informe sobre nuestra invitación al banquete o les diría: «Están invitados, pero será mejor que pasen por el restaurante de comida rápida que está en el camino. La mesa está casi siempre vacía y, por lo general, lo que se encuentra en ella está frío o es viejo; y la comida termina enseguida. Entonces comienzan las fastidiosas peticiones»?

Ester celebró el banquete en el «jardín del palacio del rey». Repito, este ambiente era del todo ajeno a la corte real formal con sus majestuosas columnas, su trono trabajado y las puertas prohibidas protegidas por guardias armados. Este patio era una zona cerrada más íntima, adyacente al gran jardín abierto, donde años atrás el rey invitó a una fiesta a los líderes de la ciudad de Susa.

Las decoraciones del jardín externo iban más allá de todo lo que pueda comprender la mente moderna (y nadie sabe, en realidad, cuán lujoso era el salón de los vinos de esta ala del jardín)[6]. No es probable que hoy tengamos algo de semejante esplendor[7].

A pesar de los alrededores impresionantes y la espléndida fiesta que tenía ante sí, Ester no podía darse el lujo de distraerse ni de quedarse impresionada con cosas sin importancia. Recuerda, *el palacio no es más que una casa vacía sin el rey*.

En este día del destino, Ester no haría apelaciones basadas en la ley. Tampoco elaboraría argumentaciones magistrales basadas en la ética, en la ganancia política o en la estrategia internacional. *Perseguiría el corazón*, para lo cual usaría toda arma y secreto que poseyera. Es en este primer banquete y en el que vino a continuación (la noche siguiente) que descubrimos una de las lecciones más importantes de la vida de Ester.

COME CON TU ENEMIGO

Saúl tenía la orden de combatir a la descendencia de Amalec con espada y flecha. David eliminó a la banda de amalecitas que atacaron a su familia en Siclag utilizando también lanzas y espadas. No obstante, Ester pronto eliminaría a su amenaza amalecita con las armas de una apasionada preparación y una indulgente adoración.

El nombre de Dios no se menciona ni una sola vez en el libro de Ester, ni siquiera hay una simple oración elevada al cielo. Sin embargo, la obra de Dios se entreteje en medio de las hojas de cada capítulo del libro de Ester. Cuando Dios obra de manera encubierta, el resultado puede ser tan poderoso como cuando lo hace de manera abierta.

A menudo nos gustaría que Dios sencillamente pasara sin llamar y se hiciera cargo de la situación, pero algunas veces trabaja tras bastidores a fin de asegurarse de que se cumplan sus propósitos. No hay nada que atraiga la presencia de Dios y su poder de intervención como la adoración resuelta y concentrada en Él. El problema es que la mayoría de nosotros tenemos un genuino problema de concentración cuando hablamos de adoración. Queremos aferrarnos a nuestras dificultades y a nuestro pasado con una mano, mientras le ofrecemos a Dios un puñadito de escasa adoración con la otra.

¿Estás concentrado en tus problemas o en tu Solución? Entonces, ¿cómo adoras con tu enemigo en la misma mesa? Te concentras en el Rey de reyes en vez de concentrarte en tu enemigo.

O BIEN CREES EL INFORME QUE DA DIOS O EL QUE DA EL DIABLO SOBRE TU PROBLEMA

Cuando concentras tu atención en lo erróneo, ¡en realidad lo adoras! Le adjudicas tiempo y fe. O bien crees el informe que da Dios o el que da el diablo sobre tu problema.

Jesús nos amonesta sin cesar a creerle a Dios y a actuar de acuerdo a su Palabra. En esencia, nos dice: «El lirio no se preocupa por lo que vestirá... No se preocupa de cómo va a suceder tal o cual cosa. Todo lo que hace es levantar su cabeza con el conocimiento de que Dios se ocupará de él»[8].

> ¡APRENDE A ADORAR CON EL ENEMIGO SENTADO A TU MESA!

Jesús nos advirtió que no nos preocupáramos. La preocupación no es adoración. Algunas personas se preocupan cuando se arrodillan y dicen que eso es adoración. Otros han llegado a dominar el arte de preocuparse con las manos levantadas y dicen que eso es adoración. ¡La adoración no es preocupación! La preocupación siempre glorifica al problema en tanto que minimiza el valor, el poder y el potencial de la Solución. Cuando magnificamos a Dios, reducimos el problema[9].

Aun cuando en momentos aislados logres pasar por alto que el enemigo está en la misma mesa, seguirás teniendo resultados limitados si no sabes cómo adorarle con una concentración decidida.

Una cosa es ver a un enemigo en el campo de batalla, pero otra mucho más difícil es que el enemigo esté tan cerca que la muerte de un sueño parezca estar a la vuelta de la esquina. La adoración se les hace difícil a muchos cuando saben que si no sucede algo con sus finanzas el mes próximo, su hijo no se graduará en la universidad o perderán el automóvil por no poder pagar las cuotas. Es más difícil adorar con el diagnóstico de un cáncer en el bolsillo que cuando un cheque llena ese espacio. Con todo, la adoración nunca es más importante que cuando el enemigo lanza un complot para destruir tu destino. *¡Aprende a adorar con el enemigo sentado a tu mesa!*

Sabemos que el enemigo está sentado a nuestra mesa cuando debemos abrirnos paso con dificultad para orar o alabar a Dios. Es bueno planear los días y dividir tu tiempo a fin de obtener una máxima eficiencia. Es importante que seamos buenos mayordomos de nuestras finanzas. Sin embargo, la adoración sigue siendo nuestro ministerio y nuestra arma más importante en cualquier día. En realidad, nunca adoras de verdad hasta que lo haces con el enemigo sentado a tu misma mesa.

NO TE DISTRAIGAS CUANDO SATANÁS ARRUINE TU FIESTA

Cuando las cosas se ponen difíciles y el enemigo aparece sin que lo inviten y te arruina la fiesta con Dios, no te distraigas. Sobre todo, no permitas que este problema que te distrae descarrile tu adoración y te lleve a su propio campo de batalla desleal con el orgulloso pensamiento: *Deja que yo entre allí y pelee esta batalla.*

No recuerdo que Dios diga que *nosotros* somos mayores que nuestros enemigos, pero sí creo recordar que dijo: «Porque mayor es el que está en vosotros, que el que está en el mundo»[10]. La liberación y la provisión llegan cuando nos concentramos tanto en Él que podemos obviar a nuestro enemigo acérrimo y adorar a nuestro Rey soberano. ¡Incluso cuando tengamos un mal pronóstico en la mano!

Siempre recuerda que *el Rey es más importante que tu enemigo* o que tu problema. Si tienes el corazón del Rey, tus enemigos se convertirán en sus enemigos y tus problemas se convertirán en la base para la solución divina.

No te permitas distraerte ni dejarte llevar por tu problema. Ester hubiera podido permitir que su enemigo acelerara el proceso o la llevara a hacer mal uso de su condición legal como reina. Hubiera podido cometer un error estratégico y trágico al argumentar en la sala formal de la corte.

CONDUCE TU LUCHA DESDE LA POSTURA DEL AMOR

En su lugar, Ester transfirió la lucha a un campo de batalla conocido donde haría el mejor uso de los recursos que ya había probado. Sabía cómo ganar el corazón del rey. No entró sin llamar a la corte real agitando su tiara de reina tratando de adjudicarse el papel de abogada o defensora. Dijo: «Ese no es mi punto fuerte. Amo al rey y *ese* es mi punto fuerte. Si *desde la postura del amor* explico mi súplica y describo el complot de mi enemigo, mi asalto será más poderoso...».

El rey y Amán asistieron al banquete de Ester. Mientras bebían el vino, el rey le dijo a Ester:

— Ahora dime qué es lo que *realmente* quieres[11].

Durante todo el banquete, Ester se concentró en Asuero. Sabía sin ninguna duda que Amán mismo había planeado el asesinato sistemático de cada adulto o niño judío en el Imperio Persa. Sin embargo, logró concentrarse tanto en la presencia del rey que la desagradable sonrisa de Amán sentado a la misma mesa no le molestó ni la distrajo en lo más mínimo. *Pasa por alto al enemigo; ¡adora al Rey!*

Es irónico que Amán no tuviera idea de que esta valiente judía tramaba con astucia su despido en ese momento, ¡en esa misma mesa! Esto le da una nueva profundidad al significado de la declaración profética del salmista:

Dispones ante mí un banquete en presencia de mis enemigos[12].

Si aprendes a adorar mientras tu enemigo está sentado frente a ti a la misma mesa, si puedes aprender a prestarle tanta atención al Rey que te olvides del enemigo que te mira con fijeza... *ganas*.

No existe sustituto del favor del Rey.

CAPÍTULO 10

INSOMNIO
DIVINO

*La adoración indulgente
deja al Rey insomne*

N adie sabe a ciencia cierta qué clase de festines se dio el rey Asuero en los banquetes preparados por la reina Ester. Una vez leí que en una fiesta relacionada con Daniel en Babilonia, ¡había pavos reales entrenados que caminaban a lo largo del salón llevándoles bebidas a los invitados del rey que estaban en sus reclinatorios!

Tal vez el rey Asuero y Amán cenaron con platos humeantes sobre los que había delicados filetes de pechuga de colibríes, pinchados con esmero con palillos de ébano o marfil, acomodados sobre montañas de brillantes colores exóticos y un interminable surtido de salsas picantes y guarniciones.

¿Te imaginas lo que habrá preparado Ester para el banquete improvisado de la segunda noche a fin de superar al que sirvió primero? Tiene que haber sido bueno.

Ester fue la graduada más sobresaliente de la Escuela de Protocolo Real y de Preparación Adecuada del Chambelán. *Conocía* el gran valor de la preparación anticipada.

Su preparación tuvo recompensa. Asuero debe haber disfrutado muchísimo del festín de la reina porque dice: «*Esa noche* el rey no podía dormir»[1]. De alguna manera, Ester provocó un «insomnio real» en el corazón del rey al finalizar la comida real.

«Esa noche...»

¿Alguna vez has necesitado un tipo de «esa noche», o de «ese día»? Un suceso que marque un hito. Una coyuntura crítica. Un punto crucial. Un momento antes del cual las cosas iban mal, pero pasado el mismo todo comenzó a andar bien.

¿Cuáles son los ingredientes para una noche como «esa»? ¿Qué se mezcla en la receta?

Entender lo que se necesita para crear un momento de favor divino... este fue el Secreto Supremo de Ester.

Sabía cómo hallar el favor del rey. El favor es lo que ocurre cuando la preparación se encuentra con la oportunidad. El éxito es lo que ocurre cuando la preparación se encuentra con el potencial.

Son muchos los testimonios que comienzan con la frase «Esa noche...», o «Ese día...». Por lo general, comienzan con temor, pero terminan con favor.

El modelo de preparación de Ester nos enseña cómo crear *«ese»* momento de favor divino.

Una parte esencial de esta lección es aprender a asegurarnos que el Rey no se vaya hambriento de nuestro encuentro de adoración. Ofrece un bufé de bendición que llene y satisfaga al Rey. ¡Ten siempre más comida sobre la mesa de la que los invitados puedan comer! (¡Esta es una lección que me enseñó mi propia madre!).

¿Alguna vez has ido a una cena tarde en la noche o asististe a un banquete que fue tan agradable que te excediste con la comida? Me refiero a la clase de comida en la que te echas hacia atrás en la silla o te inclinas sobre la mesa de la cocina y dices con una mezcla de gratitud y arrepentimiento: «Ah,

> PROTOCOLO DEL PALACIO
> 8. EL FAVOR ES LO QUE OCURRE CUANDO LA PREPARACIÓN SE ENCUENTRA CON LA OPORTUNIDAD.

> EL ÉXITO ES LO QUE OCURRE CUANDO LA PREPARACIÓN SE ENCUENTRA CON EL POTENCIAL.

esto estuvo muy bueno, ¡pero comí demasiado!». Luego gimes un poco más cuando te acuestas a dormir en la noche. Casi puedo escuchar al rey diciendo: «No hay forma en que pueda dormir en esta condición. Tendré que sentarme un poco. Sirviente, tráigame algún antiácido o algo así».

La poderosa intervención de Dios detrás de bastidores en los asuntos humanos se hace evidente en la noche de desvelo del rey Asuero.

Aquí descubrimos otra lección de la vida de Ester: *La adoración indulgente deja al Rey insomne.* ¿Puedes escuchar al rey de Persia cuando comenzó a refunfuñarle al chofer que lo llevaba en el corto trayecto entre un edificio del palacio y el otro?

«¡Jamás he visto tanta variedad en un banquete! Soy el rey sobre todo lo que conozco, ¡pero nunca había visto comida tan exquisita! Todo lo que jamás haya deseado lo encontré en esa mesa de banquete, ¡y qué cantidad de cosas exóticas!

»Y *entonces*, allí estaba la reina Ester. Seguía ofreciéndome más, diciendo: "Tome, mi rey, pruebe esto. Ay, *debe* probar esto; lo hice preparar especialmente para usted". *Y como se dará cuenta, no le puedo decir que no a Ester. Su belleza me debe hechizar.*

»No puedo creer que haya comido tantas de esas pechugas fileteadas de colibrí con salsa de mango. *¡Tal vez deba poner a los colibríes en la lista real de especies en peligro de extinción!*»

El rey se encontraba bajo algo más que la presión considerable de un banquete bien servido. Ester también le había preparado un festín para los ojos y para el corazón.

Una vez más, había tomado la precaución de ponerse la ropa que a él más le gustaba. Cada vez que la miraba, Asuero veía su estilo de vestimenta favorito y su color preferido; además, su cabello estaba arreglado de la forma en que le recordaba la noche de boda. Y esa manera que tenía de caminar... y esa manera que tenía de mirarlo como *nadie más* podía hacerlo...

Imagina el apuro en que se habrá encontrado Asuero cuando la reina Ester, ataviada y perfumada, lo guió alrededor de la exquisita pero íntima mesa del banquete. Había presentado una fiesta como ninguna otra. No solo una fiesta para el estómago, ¡sino una fiesta para los ojos!

> **LA ADORACIÓN INDULGENTE DEJA AL REY INSOMNE**

Se debe haber sentido como el novio en su fiesta de boda, al que no le importa en absoluto la cobertura exageradamente dulce de casi todas las tortas de bodas. ¿Qué alternativa le queda cuando su encantadora novia en toda su belleza y sus atavíos nupciales le extiende la tradicional porción de torta con sus propias manos enfundadas en bellos guantes? ¿Se atrevería a decir: «Lo lamento, no me gusta el dulce»? ¡De ninguna manera! En *esa* noche, no tiene opción. Lo mejor que puede hacer ese joven es abrir la boca, tragar la torta y sonreír... ¿Por qué? ¡Porque no le puede decir que no a *ella*!

¿Comprendes que el Rey de reyes y Señor de señores *no te puede decir que no*? Es decir, no puede hacerlo si eres la novia, vestida de alabanza y engalanada con la justicia. Él dijo: «Pidan, y se les dará»[2]. A Dios le resulta difícil decirte que no. En realidad, no puede hacerlo si pides «conforme a su voluntad»[3].

«ESA NOCHE EL REY NO PODÍA DORMIR»

El rey de Persia asistió a aquel primer banquete que le preparó su inigualable reina y se encontró a su merced. Su belleza, su diligencia y su habilidad para anticiparse a sus necesidades y deseos hicieron que se excediera. Algunos quizá digan que todas estas son conjeturas, pero esto está en las Escrituras:

> «*Esa noche* el rey no podía dormir»[4].

Existe otro hombre con aires reales que ha tenido gran influencia en mi vida y que algunas veces también ha experimentado dificultad para dormir. Después que mi hermana y yo nos casamos y formamos nuestras propias familias, solemos reunirnos todos en la casa de mi padre para diversas celebraciones.

Cada noche sabemos que llegará el momento en el que, con un profundo suspiro de satisfacción, papá se acercará a mamá, le dará una palmada en la espalda y le dirá: «Bueno, mami, esta noche dormiré bien».

Mi hermana, yo y todos los nietos en la casa podemos prever cuál será la próxima línea: «Mami, dormiré bien esta noche *porque todos los polluelos y los niños están bajo el mismo techo*».

Ninguno de nosotros entiende qué tienen que ver los «polluelos» con los «niños» (tal vez sea algún dicho arcaico del pasado de papá). De cualquier modo, entendemos la emoción que siempre transmite: *«Dormiré bien esta noche»*.

Lo que quiere decir es: «Todos mis hijos y mis nietos están conmigo esta noche. Están todos bajo mi techo. Están todos bajo mi custodia protectora y mi cuidado personal. Ahora puedo dormir. (Podemos deducir que esto también quiere decir que algunas veces no pueda dormir bien).

Han pasado muchas noches luego de las cuales he recibido una llamada telefónica a la mañana siguiente de parte de un padre que ha estado orando y que me pregunta: «¿Está todo bien, hijo?». Cuando estoy a punto de responder, por lo general me interrumpe: *«Anoche no pude dormir*. Estaba preocupado por ti, así que oré e intercedí».

Hay una noche que mi familia jamás olvidará. Mientras me encontraba cumpliendo con una tarea divina en Indiana, un tornado tocó tierra en nuestro vecindario. Me desperté de golpe y sentí el fuerte impulso de trasladar de inmediato a mi familia al baño de la planta baja. Como estaba dormido, no hubo manera en que me enterara acerca del tornado. Todo lo que escuché fue la lluvia... *y una débil vocecita*.

Momentos después de despertar a nuestras hijas y de bajar enseguida las escaleras, los aullidos del viento se intensificaron y se cortó la electricidad, pero nosotros estábamos *acurrucados bajo la sombra de sus alas*. Cuando llegó la luz del día, descubrí casas destruidas a mi alrededor. De repente, escuché el teléfono que sonaba y levanté el auricular. Mi padre dijo: «Hijo... anoche no pude dormir. ¿Qué sucedió?». Le respondí: «Nada, papá. Nosotros estamos bien, pero el vecindario está hecho pedazos».

Sin el beneficio de los pronósticos del tiempo de la tierra, a mi padre lo había alertado el sistema de radar del cielo. *El insomnio divino no le había permitido dormir*. Su intercesión sonó como una especie de trompeta de advertencia espiritual que me despertó e hizo que nos refugiáramos bajo las alas del Omnipotente.

En el plano natural como padre, siempre me siento mejor cuando puedo tener a mis hijas cerca en los momentos de inminente peligro. Creo que desde que la humanidad se esparció luego de la expulsión del Edén, Dios ha sentido una emoción similar.

¿Será posible que, de alguna manera misteriosa, esto logre definir el estado de la situación para nuestro Padre celestial desde el jardín del Edén? Nunca ha podido juntar a «todos los niños y los polluelos» bajo sus alas.

Tal vez esta sea la misma emoción que sintiera Jesús cuando miró a Jerusalén con el corazón quebrantado y exclamó: «¡Cuántas veces quise proteger a tus hijos como la gallina protege a sus polluelos debajo de sus alas, y no quisiste!»[5].

LOS EFECTOS DEL INSOMNIO DIVINO

La Biblia dice: «Siempre se mantiene vigilante y nunca duerme»[6]. Durante su permanencia en la tierra, muchas veces Jesús pasó noches sin dormir mientras oraba por los inminentes desafíos que enfrentaban sus amados. A lo mejor nuestro Rey celestial todavía camine de un lado a otro por los pisos de oro del cielo, no *con un miedo paranoico, sino con un amor apasionado*, sintiendo el efecto del insomnio divino.

¿Qué alimenta esta insatisfacción divina? Según el contexto de la Escritura, «velar» tiene relación con «no dormir nunca». Él nunca duerme porque siempre está velando.

Nuestro Dios anhela la escasa y muy valorada adoración de la humanidad. Hasta dónde llegará para perseguir esa clase de adoración, no lo sabemos.

Jesús pintó un cuadro vívido de su pasión en la parábola del pastor de «las noventa y nueve ovejas», en la que el buen pastor deja a esas noventa y nueve bien guardadas en su corral y sale a buscar y a salvar a la única que todavía estaba *fuera del rebaño* durante la noche[7]. El Pastor estuvo levantado y afuera toda la noche. Diríamos que Dios no puede descansar por amor.

Hubo una vez en que sabemos que Dios *sí* descansó porque la Biblia dice que, el séptimo día, el Creador *descansó* de toda la obra que hizo[8]. Sin embargo, no tengo noción de ninguna otra referencia al descanso de Dios hasta que «todos los niños y los polluelos» estén reunidos bajo un mismo techo y dentro de las paredes de la santa ciudad, la nueva Jerusalén.

Algunas personas llaman al cielo el lugar del descanso eterno, pero parece que Dios se niega a permanecer dentro de nuestra caja pasiva y carente de poder. Él es más activo, más emprendedor y está siempre más en movimiento de lo que la mayoría de nosotros admitiría.

Cuando el Dios del cielo se hace un festín con las oraciones desinteresadas, con los sacrificios de alabanza y la adoración desenfrenada de sus hijos sobre la tierra, *parece que se establece una forma de «insomnio divino»*.

«Descansó» antes de la caída y la expulsión de Adán y Eva. Ahora no se dormirá ni se adormecerá. Al parecer, Dios no descansará hasta que nos haya juntado a todos como la gallina junta a sus polluelos.

Estoy seguro de que la preocupación divina y el cuidado santo son los que mantienen al que guarda a Israel en vigilancia constante con ojos que van y vienen[9]. Sin embargo, también creo que podemos alimentar el aspecto de «velar y esperar» de Dios. Creo que la adoración apasionada y sobrecogedora es capaz de elevar la actividad de Dios. Por así decirlo, puede «mantenerlo levantado». ¿Qué preparamos para que Dios se dé un festín?

¿QUÉ COME EL REY CUANDO
ESTÁ HAMBRIENTO?

¿Alguna vez te has preguntado qué come el Rey de reyes cuando está hambriento? Sabemos que Jesús y sus discípulos estaban cansados y hambrientos el día que se detuvieron en el pueblo samaritano de Sicar. Los discípulos deben haber divisado un McDonald's o algún otro lugar de comida rápida al pasar por la ciudad porque dijeron: «Jesús, tenemos hambre. Estamos cansados del pescado. Vayamos a buscar una Cajita Feliz o algo así»; pero Él sonrió y contestó: «Yo me quedaré aquí».

Jesús sabía que tenía una cita que no estaba escrita en las agendas ni en los calendarios terrenales. Hasta la mujer que se encontraría con Él no tenía idea de que Dios estaba alerta, esperando este momento. Los discípulos le prestaban atención al apetito equivocado, así que al final abandonaron a Jesús luego de dar unos golpecitos sobre el reloj de la necesidad temporal.

Entraron a la ciudad en busca de una hamburguesa doble o una simple, mientras un Jesús cansado se quedó esperando a su cita en el pozo. El refrigerio divino estaba en camino y pasó junto a los discípulos. Todo lo que vieron fue una mujer al otro lado de la calle. Es evidente que era una samaritana que caminaba con dificultad hacia el pozo de agua del pueblo con un gran cántaro sobre la cabeza. Parecía que llevaba una carga mucho más pesada en sus hombros caídos que la de un recipiente de agua vacío. (Tal vez entiendas lo que es sentir que el peso de todo el mundo está sobre tus hombros).

Los hombres se preguntarían por qué iba al pozo a la hora de peor calor del día... quizá algo la hacía inaceptable o poco popular entre el resto de las mujeres de esta ciudad. Por lo general, venían a buscar agua temprano en la mañana para cocinar y al atardecer cuando el sol castigaba menos. En el momento que vio al grupo de once hombres acercándose, desvió la mirada y se apartó al otro lado del camino para evitarlos. (Algunas veces, las personas evitan la iglesia por la misma razón por la cual la necesitan).

Después de comentar entre ellos el comportamiento de la mujer, los hombres se sintieron cómodos con su evaluación y siguieron su camino alejándose de Jesús y acercándose cada vez más a los Arcos de Oro y La Cubeta Blanca para satisfacer su hambre física. La agobiada mujer continuó arrastrando los pies hacia Jesús que la esperaba con paciencia junto al pozo.

Él la condujo con amabilidad a un lugar de adoración. Hasta le dijo que estaba «buscando» adoradores. Desde el cínico punto de vista de ella, este quizá fuera un hombre más al cual rechazar; después de todo, ya había tenido cinco maridos[10].

Es probable que hasta fuera por eso que evitaba las horas en que había mucha gente en el pozo, a fin de protegerse de las lenguas venenosas y de los comentarios ácidos de las otras mujeres del pueblo. «¡Cuida a tu marido cuando ande cerca de *esa*!»

Cuando Jesús terminó la conversación, ella le pidió en actitud de adoración: «Dame de esa agua»[11].

Entonces, Jesús, por consiguiente, le pidió pureza: «¡Trae a tu esposo!»[12]. Algunas veces (si no siempre), Dios hace una pregunta de la que ya conoce la respuesta. No la hace para recibir información, sino para purificar nuestra respuesta con transparencia.

Ella respondió con la transparencia que siempre se requiere en la adoración. «No tengo esposo»[13].

Jesús saca a la luz su vida y se revela a sí mismo. Define los parámetros de la adoración «en espíritu y en verdad» y la recluta al decirle: «El Padre tales adoradores busca»[14].

Ella responde: «Sé que viene el Cristo...»

Y Jesús le dice: «¡Yo soy ese!»[15].

¡La adoración siempre lleva a la revelación!

Por aquel entonces, los discípulos regresaron con comida para Jesús, solo para ver que la mujer se echaba a correr sorprendida hacia el pueblo.

«Te trajimos comida rápida, Señor».

El Señor solo sonrió satisfecho y dijo: «Yo tengo un alimento que ustedes no conocen»[16].

«¿Qué comiste?», le preguntaron.

«Acabo de tener un *encuentro de adoración* con *esa* mujer», dijo.

¡LA ADORACIÓN ES LO QUE DIOS COME CUANDO TIENE HAMBRE DE VERDAD!

Fíjate en el contraste: Doce predicadores profesionales entraron al pueblo y todo lo que le trajeron a Jesús fue una hamburguesa; una adoradora transformada corrió hacia el pueblo y la Biblia dice que trajo a «muchos de los samaritanos que vivían en aquel pueblo» a Jesús[17].

En realidad, este es uno de esos casos raros en que *la visitación se convirtió en habitación* porque terminó quedándose tres días más ministrándole a este pueblo que no era judío.

Es evidente que este pueblo tenía el favor de Jesús. ¡Extendió el avivamiento! ¡Satisficieron la necesidad que Él tenía de adoración!

Nosotros también debemos satisfacer su necesidad de verdadera adoración.

¿Cuándo fue la última vez que Dios se fue de un encuentro de adoración contigo exclamando: «Estoy lleno»? ¡Por lo general, nosotros somos los que queremos salir «bendecidos»! Lo interesante es que Dios piensa que la iglesia está para bendecirlo a Él.

Cuando preparamos una mesa de banquete para nuestro Rey que desborda con nuestra adoración, nuestro amor y la dulce fragancia de la adoración y la alabanza, lo «rellenamos» con nuestra abundante adoración. Luego, «esa noche», el Rey de reyes se levanta de su trono con un santo desvelo. Él, que nunca se adormece, comienza a estremecer los cielos con truenos de inquietud divina.

AMÁN TAMPOCO DORMÍA

¿Por qué es tan importante darse cuenta de que la Biblia dice que el rey de Persia no pudo dormir esa noche? Tal vez sea porque Amán, el enemigo de los judíos, tampoco dormía. La vida de Ester revela un indicio vital de lo que puede suceder después que llega *«esa noche»*.

¡Cuán feliz estaba Amán cuando salió del banquete! Pero cuando vio a Mardoqueo en la puerta, que no se puso de pie ni

hizo reverencia delante de él, se puso furioso. Sin embargo, se refrenó y siguió hasta su casa y reunió a todos sus amigos y a su esposa Zeres, y se jactó delante de ellos acerca de su riqueza, de sus muchos hijos, y de las promociones que el rey le había concedido, y cómo se había convertido en el hombre más poderoso del reino después del mismo rey.

Enseguida lanzó su exclamación triunfal:

—Sí, y *Ester la reina me ha invitado a mí solamente para que vaya con el rey al banquete* que ella ha preparado para nosotros. ¡Y mañana estamos invitados nuevamente! *Pero todo esto de nada sirve cuando veo que Mardoqueo, el judío que se sienta frente a la puerta del rey se niega a inclinarse delante de mí*[18].

El hombre más poderoso de Susa regresó a su casa frustrado y enojado. Le dijo a su esposa: «Soy un tipo influyente, *verdaderamente* influyente, en el imperio más poderoso del mundo; pero hay un solo hombre que me agua la fiesta. Es ese judío, Mardoqueo. No me venera ni se inclina, ¡a pesar de que me lo merezco!». (Recuerda: Casi siempre se puede decir cuán grande es un hombre de acuerdo a cuán *pequeñas* son las cosas que lo frustran).

SI ERES TAN INFLUYENTE…

Su esposa, Zeres, que lo «apoyaba», actuó en complicidad con algunos amigos y sugirió una idea brillante que exhibiría el ego increíble de su marido y fomentaría el prestigio de toda su familia. Me la imagino comenzando su declaración: «Bueno, si eres tan influyente…»

—Haz preparar una horca de veintidós metros y medio de alto y *en la mañana pídele al rey que haga colgar a Mardoqueo en ella.* Cuando esto haya sido realizado, *tú podrás seguir alegremente para reunirte con el rey en el banquete.*

Esto agradó a Amán inmensamente y ordenó que fuera construida la horca[19].

Resulta ser que todo esto sucedió la misma noche que el rey no pudo dormir.

Muchas veces vendrán noches críticas en tu vida en las que casi vas a sentir el aire denso que te rodea al percibir las tramas diabólicas de Satanás que planea tu dramática desaparición. Es cierto que tu destino pende de un hilo en esos momentos, pero si tienes el favor del rey, ¡anímate!

«*¿Cómo me animo si Satanás trama mi desaparición?*» ¿Qué debes hacer? ¡Adora! ¡Adora de manera extravagante y apasionada! (*¡Como si tu vida dependiera de ello!*)

La adoración termina la historia: La misma noche que Amán planeaba y maquinaba la desaparición de Mardoqueo, una mano invisible y divina orquestaba los pasos de Asuero. «*Esa noche*» el rey se encontraba tan lleno debido a la prodigalidad de la reina, que no pudo dormir.

¡ESTOY LLENÍSIMO DE ADORACIÓN!

Todos necesitamos una «*esa noche*», pero muy pocas personas saben cómo prepararse para ella. Debemos aprender algunas lecciones sobre Ester. Solo pregúntate: ¿Qué pasaría si cuando Dios se va del culto de adoración de mi iglesia está tan satisfecho que al sentarse de nuevo en su trono en el cielo les dice a Gabriel y Miguel, los arcángeles: «Ah-h-h, ¡estoy llenísimo de adoración!»?

¿Qué hace un rey cuando no puede dormir? ¿Qué hace el poderoso Guardián de Israel cuando no puede descansar? Sabemos lo que la Biblia nos dice sobre el rey de Persia durante su noche de insomnio:

Aquella noche al rey se le fue el sueño y *ordenó que le leyeran las crónicas de su reino, que estaban en la biblioteca.* Leyeron hasta el punto en que se relataba la forma en que Mardoqueo había delatado el complot de Bigtán y Teres los dos eunucos del rey, vigilantes de la puerta del palacio, que habían conspirado para asesinarlo.

—*¿Qué recompensa hemos dado a Mardoqueo por haber hecho esto?* —preguntó el rey.

Los cortesanos respondieron:

— Nada[20].

¿Será posible que la adoración complaciente: un rico banquete de acción de gracias, alabanza, adoración y culto apasionado, haga que el Rey se quede lleno pero insomne? ¿Qué hace nuestro Rey durante las noches de desvelo cuando bastan los antiácidos espirituales? Si existe algún modelo espiritual en las acciones del rey terrenal Asuero, el Rey de reyes hace dos cosas.

N.º 1: REVISA LAS CRÓNICAS

El rey Asuero dijo: «Traigan las crónicas de la corte. Si comienzan a leerme esas crónicas aburridas, tal vez eso me ayude a dormir. En realidad, debería ayudarle a dormir a *cualquiera*».

(Sabemos que el Rey de reyes lleva extensas crónicas. Tiene anotado cada vaso de agua fría que se le ha dado a sus siervos en esta tierra, registra el nacimiento y la muerte de cada pájaro que ha creado y hasta los cabellos que se caen cada día de las innumerables cantidades de cabezas de cada ser humano que envejece en este planeta).

Estoy seguro de que el soñoliento mayordomo avanzó por las páginas o volúmenes llenos de los equivalentes persas para los términos legales «visto que, en prueba de lo cual» en líneas redundantes de una verbosidad que provocaba el sueño.

Con todo, ni siquiera la mundana monotonía de las crónicas de la corte lograron adormecer al rey. Su vientre repleto no se lo permitía. Entonces el sirviente dijo las palabras que sacaron la proverbial lotería.

En algún momento durante esa noche sin dormir, el rey de Persia, sacudió de repente su modorra y se sentó de un salto en la cama real. Mientras el extenuado chambelán pronunciaba con monotonía los procedimientos registrados en la sala del trono, algo que dijo captó la atención del rey con una urgencia renovada.

—¡Un momento! Vuelve a leer ese párrafo... el que habla de Mardoqueo, el judío.

—Sí, señor.

Leyeron hasta el punto en que se relataba la forma en que Mardoqueo había delatado el complot de Bigtán y Teres los dos eunucos del rey, vigilantes de la puerta del palacio, que habían conspirado para asesinarlo.

—¿Qué recompensa hemos dado a Mardoqueo por haber hecho esto? —preguntó el rey.

Los cortesanos respondieron:

—Nada[21].

Mientras el chambelán leía la crónica otra vez, el rey se daba cuenta de que un hombre que literalmente le había salvado la vida no había recibido ninguna recompensa. Aun en el clima con tantas cargas políticas de la corte de Persia, un servicio tan leal siempre se recompensaba con generosidad.

Todas las cosas que pensaste que nadie percibía... ese vaso de agua, esa ofrenda pequeña, pero hecha con sacrificio, la ayuda prestada a un extranjero...

Creo que recuerdo haber leído en alguna parte que «Dios no es injusto; ¿cómo podría Él olvidar el ardor con que ustedes han trabajado, o el amor que le han demostrado y le siguen demostrando al ayudar a los demás hermanos en la fe?»[22]. El Rey de reyes tiene en alta estima el servicio fiel.

Nada de lo que has hecho se ha pasado por alto. La recompensa demorada no es recompensa negada.

N.º 2: ÉL PLANEA TU RECOMPENSA

Cuando el rey Asuero descubrió el descuido, enseguida comenzó a planear la recompensa para Mardoqueo. Luego de la posible noche en vela y de meditar en estos asuntos, el que llegó a primera hora de la mañana no fue otro más que el arrogante y alegre Amán, que entró al palacio del rey con una misión de asesinato y venganza personal *contra* Mardoqueo.

Dios lanzó su propio plan de ironía divina cuando el monarca de Persia pidió de repente que viniera cualquier noble de alto rango para ayudarlo a planear una recompensa adecuada para Mardoqueo.

— ¿Quién está en el patio? — preguntó el rey.

Amán acababa de llegar y se encontraba en el patio de afuera para pedir al rey que colgara a Mardoqueo en la horca que estaba construyendo.

—Amán está allí —los cortesanos le respondieron al rey.

—Díganle que venga —ordenó el rey.

Entonces Amán entró y se presentó delante del rey, que le preguntó:

—¿En qué forma honrarías a un hombre al que yo deseo honrar?

Amán pensó: «*¿A quién querrá honrar el rey más que a mí?*» Y respondió:

—Haría traer ropas reales que el rey haya usado, el caballo del rey, la corona real, y ordenaría a los príncipes más nobles del rey que lo vistieran y lo llevaran por las calles montado sobre el caballo del rey y anunciando delante de él: "¡De esta manera el rey honra a una persona que le ha agradado!"[23].

Amán no lo sabía, pero había hablado en forma profética al espetar todas las recompensas que le parecía que merecía tan ricamente para sí mismo. Debe haber necesitado todo el dominio propio del mundo para *no* insertar «me» y «mí» en lugar de «lo» y «a una persona» en su espléndido discurso. Si pudiéramos oír lo que Amán pensaba de verdad mientras hablaba con el rey, diría:

«*Deseo* que las ropas del rey envuelvan *mis* hombros que lo merecen. Luego deseo que *me* suban al caballo del rey (de todas maneras, debería ser *mío*), y dejen que los tontos que se creen que de verdad están a *mi* altura, *me* conduzcan por la ciudad como humildes sirvientes, gritando a voz en cuello *mi* alto rango y lo digno que soy de alabanza».

Lo que Amán dice, en realidad, es: «¡Quiero ser rey!». ¡Otro usurpador llamado Lucifer dijo una vez algo similar!

¡Imagina el orgullo inflado y la explosión del ego que fluyó del alma oscura de Amán en ese momento! Estaba en lo más alto del mundo y su complot de suprema venganza no podía ser más dulce (o eso pensaba). Sin embargo, lo que no sabía era que el día del proceso de cambio de papeles divino estaba a punto de amanecer.

Es interesante que tanto Mardoqueo como Ester no fueran conscientes de que la corriente había cambiado a su favor. Tal vez, aunque no lo sepas, el proceso del cambio de papeles divino ha comenzado en la corte del cielo. Saca esta lección de Ester: *Nunca subestimes el poder del favor.*

> NUNCA SUBESTIMES EL PODER DEL FAVOR.

Los enemigos de Dios *y* de su pueblo nunca deberían olvidar esto: Es peligroso atacar a los que tienen el favor del Rey. Amán estaba a punto de experimentar el incomparable dolor de la justicia de Dios: una cambio total de las suertes, en el tiempo que le lleva al rey pronunciar una orden fatal.

—¡Magnífico! —dijo el rey—. Toma las vestiduras y el caballo, y *haz así con Mardoqueo, el judío* que trabaja en la puerta real. Hazlo *todo en la misma forma que lo has sugerido*[24].

¿Cuándo fue la última vez que Dios se fue de una reunión o de uno de los momentos privados contigo y se encontró (metafóricamente hablando) con que no podía dormir porque estaba llenísimo con el banquete de adoración que le diste?

Tales banquetes no comienzan con una lista de nuestras propias preferencias, de nuestras necesidades ni de nuestros deseos. Si hay algo que

Ester nos ha enseñado es que no se trata de lo que *nosotros* queremos, sino de lo que *Él* quiere. ¡Satisface las necesidades del Rey!

La mayoría de nosotros nos encontraremos frente a días de crisis avasalladoras en las que necesitaremos una «esa noche». Cualquier noche no es suficiente; necesitamos «esa noche» o «ese día» a fin de poner en movimiento la intervención del favor del Rey que nunca olvida.

En los momentos de desesperación, debemos recordar esta lección vital de Ester: *La adoración complaciente hace que el Rey no pueda dormir*.

La liberación no proviene de nuestras propias virtudes ni obras; viene cuando nuestra adoración y amor producen un *insomnio divino*.

¿Para qué preocuparse durante toda la noche de la existencia humana si el Rey se queda levantado y produce un cambio durante la noche para planear tu recompensa?

¡La misma noche en que Satanás planea destruirte, tu Rey planea tu recompensa! ¡El Rey que nunca duerme!

(En lo que a Amán respecta, estaba feliz cuando se fue del primer banquete, pero las cosas serían muy diferentes cuando saliera del segundo. Las fuerzas del cambio de papeles divino se habían desatado y nada quedaría igual).

CAPÍTULO 11

UNA PREGUNTA ADECUADA EN EL MOMENTO EQUIVOCADO

No se lo preguntes ahora

Algunas personas pueden dar un paseo por el libro de Ester en una leída y tal vez lo dejen a un lado pensando: *Qué bonita historia*. Otros (como yo mismo) nos sumergimos en un argumento secundario tras otro.

Para mí, uno de los momentos más fascinantes en la historia de Ester comienza en la sala del trono y me cautiva hasta el final. Este punto marca otra lección más de la vida de la reina Ester: *El momento oportuno es fundamental*.

Esta verdad se hace evidente al final del primer banquete.

> Mientras bebían el vino, el rey le dijo a Ester:
> —Ahora dime qué es lo que realmente quieres y yo te lo daré aun cuando sea la mitad del reino.
> Ester entonces contestó:
> —Mi petición, mi más profundo deseo, es que si su majestad me ama, y quiere conceder mi petición, venga mañana con Amán al banquete que he preparado para ustedes *y allí* les explicaré de qué se trata[1].

Esta fue la *segunda vez* que la reina Ester puso reparos cuando Asuero le ofreció la mitad de su reino. La primera vez que eludió el verdadero problema fue cuando entró sin invitación a la sala del trono. ¿Por qué seguía rechazando un ofrecimiento de semejante magnitud como «la mitad del reino»? ¿Quién no querría la mitad del Imperio Persa? Tal vez alguien con una sentencia de muerte pendiendo sobre la cabeza, alguien que ve una oscura nube de limpieza étnica acercándose cada vez más a su pueblo... un reino a medias no era suficiente. ¿Por qué se iba a conformar con la mitad del reino si podía influir en todo? *El momento oportuno fue la clave*.

Algo en el intercambio que se produjo entre la reina y el rey me habló a mí como esposo. Algo me resultó un tanto conocido en la manera en que la reina le respondió al rey Asuero en la sala del trono. A mí me parece que Ester reaccionaba según el conocimiento que tenía de los estados de ánimo del rey.

Al comienzo, no podía puntualizar qué era, pero luego recordé algunos hechos en mi larga y colorida historia con mi hermosa esposa y mis bellas hijas. Entonces fue cuando lo *supe*.

Si no te importa, trataré de describirlo en términos más contemporáneos y desde el punto de vista de esposo y padre. (Si eres una esposa y madre, ¡entiendes lo que estoy a punto de decir *mucho mejor* que yo!)

Le haré esta pregunta a cada caballero casado que lea este libro: «Señor, ¿alguna vez se han levantado nubes de tormenta alrededor de tu paz matrimonial, momentos en los que podías decir que algo andaba mal pero que no tenías ni la menor idea de qué habías hecho para provocar la tormenta?».

Muy a menudo los hombres arrojan la toalla con demasiada rapidez y vuelven al típico enfoque masculino para la solución e investigación de los problemas: avanzan con una orientación directa y de frente. Por lo general, es un grave error.

¿Qué sucede cuando un esposo se dirige al amor de su vida y le dice: «Cariño, algo anda mal»? Sospecho que a esta altura es cuando podemos entrever la estratagema y el modus operandi superior invisibles del género femenino de nuestra especie.

En primer lugar, la esposa de este hombre, desprevenida, «lo examina». De alguna manera misteriosa, una esposa puede, con solo una mirada, «tomar la temperatura» de su esposo a fin de descubrir si se encuentra en el punto en el que le puede decir lo que anda mal. (A esta altura, nos viene a la mente el cuadro de una carne a medio cocer que vuelve al horno).

> EL MOMENTO OPORTUNO ES FUNDAMENTAL.

En mi experiencia, la primera respuesta a la pregunta masculina: «¿Algo anda mal?», parece casi universal: *«Nada».*

Tú *sabes* que esa respuesta no es verdadera, pero da la impresión de que Dios no les reclama esto a las esposas, vaya uno a saber por qué. No sé cómo funciona ni cómo llega a suceder, pero Dios y las mujeres parecen tener un acuerdo o una dispensación especial para esta clase de cosas.

Debido a razones que me son desconocidas, hasta la segunda vuelta de estos intercambios matrimoniales incluye, típicamente, alguna forma de «engaño legal al cónyuge».

Si dices con mayor urgencia y con mayor sinceridad: «Vamos, cariño, dime qué anda mal», en la mayoría de los casos se repetirá delante de ti la actuación de la primera vuelta:

«Nada».

Hasta donde yo sé, lo que quiere decir en realidad es:

«Muchacho, ¡todavía no estás listo para lo que tengo que decirte!»

Por lo tanto, es *nada*, que en realidad, quiere decir, *algo*.

Los esposos muy persistentes o cabezas duras quizá resistan alguna vez un débil tercer intento: «Cariño, ¿algo anda mal?».

«Nada».

Tú *sabes* que debe haber *algo*. Tal vez te devanes los sesos todo el día tratando de imaginarte qué es. *¿Qué hice? ¿Qué olvidé? ¿Qué dije? ¿Qué no dije? Sé que hay algo...*

LA VIDA EN
EL REFRIGERADOR

En la atmósfera del día existe un frío diferente y vivir otras veinticuatro horas en el refrigerador matrimonial no es muy atractivo. Esto quiere decir que debes tratar de darle vueltas a la conversación de modo tal que logres sacar el tema para la tarde. El mismo proceso tiene lugar otra vez.

Hiciste la pregunta equivocada. Ella te examina.

«Nada».

La sabiduría que prevalece en la comunidad masculina (y que algunas damas dicen que es en sí mismo un oxímoron) es del todo unánime en un punto: Si una esposa dice «nada» dos veces seguidas, algo anda muy mal.

Después de esto, el espectro del consejo varía ampliamente (de acuerdo, por supuesto, a las diferentes experiencias personales). Algunos te dirán: «Llama al ministro. ¡Llama a los intercesores!».

Otros asumen una postura pastoral seria y dicen con toda gravedad: «No te detengas y busca ahora mismo una entrevista con un consejero matrimonial».

Los testigos que hace más tiempo que están casados trasuntan una expresión irónica en el rostro al ofrecer un consejo en forma burlona: «Prepárate para tu funeral». De cualquier manera que lo mires, alguien está en problemas.

Hablando en serio, cuando un marido recibe la respuesta «nada», *no quiere decir que todo esté bien. Sin lugar a dudas, algo anda mal.*

Lo que quiere decir, lo que tiene en mente la esposa, es que el esposo todavía no está listo para recibir la información que ella tiene. Todavía no está «maduro como para arrancarlo del árbol». Si la esposa es lo bastante misericordiosa como para expresarlo, diría: «No estás *listo* para que te diga *lo que necesitas escuchar*. Tengo que trabajar un poco más contigo».

(¿Quién fue el primer hombre que tuvo la insensata estupidez de llamar a las mujeres «el sexo débil»?)

ESTER LE DIO AL REY EL ANTIGUO EQUIVALENTE PERSA DEL «NADA»

Cuando Ester entró en la corte del rey, él le dio una cálida bienvenida y le extendió el cetro. Eso fue un bonito gesto, pero cuando le preguntó qué andaba mal y le prometió hasta la mitad de su reino, todo lo que recibió a cambio fue el antiguo equivalente persa del «nada».

Lo que hizo Ester fue añadir un comentario adicional: «Solo quiero que cenes conmigo. Preparé una cena especial... y puedes traer a Amán».

El rey se tragó el anzuelo y asistió al exclusivo banquete de esa noche (luego de sacar a Amán de su rutina diaria habitual, con poca anticipación y la orden ejecutiva de aparecerse con su mejor esmoquin).

Fue un acontecimiento grandioso y la cena estuvo maravillosa, pero su esposo (que gobernaba veintitrés naciones como trabajo extra) sabía que *algo* andaba mal (¡y tal vez deseaba que no tuviera nada que ver con él!).

Como hombre, como esposo por más de veinticinco años y como padre de tres maravillosas y complejas jovencitas, estoy convencido de que las mujeres, en general, piensan que los hombres dan pena. Están convencidas de que, la mayor parte del tiempo, no sabemos lo que ellas hacen. En realidad, la verdad *da más pena aun*. Sabemos exactamente lo que hacen... *¡y disfrutamos del proceso!*

EXISTE UN PROTOCOLO DE LA PETICIÓN

Mi hija del medio aprendió cómo actuar en esta «unción de Ester» hace algunos años. Su madre, mi esposa, le enseñó este arte secreto. Suena maravilloso, y supongo que lo es... desde su punto de vista. Mi problema era que yo era el objetivo de su petición.

He contado esta triste historia de capitulación masculina en otros lugares, incluso en otro libro que escribí, pero merece que lo vuelva a contar aquí debido a su lección extremadamente apropiada, sacada de la historia de Ester.

En esta ocasión, mi hija deseaba permiso para hacer algo. Cuando me preguntó, le dije que no. Ella posee el conocimiento colectivo que tienen todos los hijos del planeta, que saben cómo «negociar un permiso». ¡De inmediato dio media vuelta y se fue a hacerle la misma pregunta a su madre!

Por si acaso no te has percatado de esta confabulación, es algo así: Primero, le preguntas a uno de los padres. Luego, si no consigues lo que quieres, de inmediato le preguntas al otro. Si aun así no recibes lo que pides, apelas al tribunal supremo: *los abuelos*.

Después que le dijera que no, mi hija fue a su madre con el mismo pedido. Ella puso a un lado el paño de cocina y le dijo: «Déjame decirte qué debes hacer para llegar a tu padre». *(¡Recuerda que yo todavía estaba en la misma habitación!)* Yo sabía que estas lecciones existían, pero al menos hubiera deseado que preservaran mi dignidad llevando adelante el curso del protocolo de la persuasión *en privado*.

Mi esposa la instruyó: «No tienes que dirigirte así nada más a tu padre y exigirle algo. Antes de que se te ocurra pedirle algo, abrázalo. Dale besos y dile: "Te amo, papi" ¡Persiste! Luego, mírale la boca...»

(¡No podía creer lo que estaba oyendo!)

«Cuando sonría, le pides».

Estaba seguro de que mi hija esperaría un par de días o tal vez un par de semanas antes de intentar esta nueva técnica conmigo; después de todo, yo estaba allí mismo en la habitación con ella mientras recibía la lección.

¡No esperó siquiera dos minutos! Salió de su lección «particular», se dirigió directamente hacia mí al otro lado de la habitación y me rodeó con sus brazos. Luego dijo: «Te amo, papi [beso]. Eres el "mejor" papito [beso]».

A lo largo de todo el espectáculo, le decía con la mirada: «Sé lo que estás haciendo...».

No desistió de su propósito.

EN CUANTO LA VIO, DIO UN SALTO

«Te amo, papi [beso]». Me abrazó, me sonrió y me dijo una y otra vez lo maravilloso que era. Mientras tanto, yo me decía (con los dientes y los labios apretados): *No sonreiré. No sonreiré.* Sin embargo, una delatora esquinita de mi boca me traicionó y se curvó un poquito hacia arriba. En cuanto la vio, dio un salto.

Me volvió a hacer *la misma pregunta* que me había hecho hacía diez minutos.

Con una resolución de acero, abrí la boca para decir *no...* ¡pero de todos modos me salió un *sí*!

Era la *misma pregunta*. En situaciones normales, esperarías la misma respuesta. ¡La única diferencia fue el *protocolo*! Aprender a manejar a papá.

Siglos antes de que mi hija aprendiera a hacer una petición como es debido y en el momento oportuno, la reina Ester tuvo cuidado de darle prioridad a la presencia del rey y de darle un valor supremo a estar con él en vez de buscar su favor o un decreto de su mano.

Con desesperación, Ester necesitaba la ayuda de Asuero para salvar las vidas de todos los judíos que estaban bajo el control del Imperio Persa, pero sabía el peligro que corría si hacía la *pregunta adecuada* en el *momento equivocado. La sabiduría es aprender a conocer el momento apropiado para hacer la pregunta adecuada.* Aprende a comportarte en la presencia del Rey.

EXISTE UN PROTOCOLO PARA ENTRAR A SU PRESENCIA

Existe un protocolo para entrar en su presencia. En un plano más bajo, la reina Ester entendió que agasajar al rey de Persia con un banquete no era sobornarlo. ¿Qué le puedes dar a un rey que lo posee todo? Es inmune a los sobornos. Además, ninguno de los bienes ni de los artículos de valor que Ester poseía podía siquiera compararse con lo que ya tenía él. Y, de cualquier manera, ¡todo lo que tuviera a su disposición venía de él! ¿Qué le *podemos* ofrecer al Rey de reyes?

Los niveles mayores de acceso privilegiado en cualquier casa real están reservados para los individuos que tienen relaciones íntimas con el rey, tales como la reina, un hijo, otros parientes y los sirvientes reales.

Por lo general, con la intimidad viene un cierto nivel de intuición espiritual. Vemos cómo se revela esto de manera progresiva en la vida de la reina Ester. Tenía todas las razones lógicas para tener confianza luego de su aparición triunfal sin aviso en la «sala de la corte», cuando el rey Asuero le extendió el cetro real.

CON LA INTIMIDAD VIENE UN CIERTO NIVEL DE INTUICIÓN ESPIRITUAL

El rey le prometió la mitad de su reino, pero esa *intuición íntima* llevó a la reina a preparar dos fiestas y a postergar dos veces su petición antes de tener la sensación de que era hora de decirle al rey lo que *en verdad* andaba mal.

Algunas veces entramos apurados a la iglesia y pasamos enseguida por las actividades religiosas que hemos planeado a fin de arrojarle nuestros pedidos a Dios como hijos malagradecidos, toqueteándoles las manos y escarbando en sus bolsillos infinitos en busca de tesoros privados.

La victoria que buscamos, la ayuda que anhelamos, el milagro que le pedimos con desesperación... no está mal desear estas cosas. Tampoco está mal que se las pidamos al Rey.

Ester nos enseña que existe una manera mejor: Aprende a entrar en la presencia del Rey y a *pedir desde la posición de la relación íntima*. Esto es mucho más eficaz que pedirle sobre la base de alguna promesa bíblica (legal) o desde la plataforma formal de la corte externa.

> PIDE DESDE LA POSICIÓN DE LA RELACIÓN ÍNTIMA.

La forma de actuar de Ester es la más alta. En realidad, fue incluso mejor que los pedidos familiares de los que eran bienvenidos en la presencia del rey como miembros de la corte real. Ella no se limitó a la sala del trono; presentó sus peticiones detrás del velo, en el lugar secreto.

Ester había aprendido el protocolo de su presencia. No puedes venir corriendo a la presencia de Dios, así porque sí, señalarle la referencia en la Escritura y gritar: «Muy bien, Dios, ¡esto es lo que demando!».

Esa fue la actitud del hijo pródigo. En ese entonces, la costumbre era que los hijos recibieran la herencia cuando alcanzaban la edad suficiente en lugar de hacerlo al morir los padres. El hijo pródigo señaló la carta de la ley y le exigió a su padre: «Dame lo que es mío, ahora mismo». Entonces, el padre le dio la bendición a su hijo y observó cómo abandonaba al que lo había bendecido. Hizo abuso de las bendiciones al usarlas para pagar el boleto que lo alejaría de su padre.

Si lo piensas, este ávido heredero dejó de lado el protocolo del corazón y usó el protocolo legal para arrebatar antes de tiempo la bendición de manos de su padre. Utilizó los productos de las manos de su padre para financiar la huida de su presencia.

¿Cuántas veces usamos las bendiciones de Dios para financiar nuestros viajes lejos de su corazón y de su rostro? ¿Qué hubiera sucedido si este hijo menor hubiera dicho: «Solo te quiero a ti, padre», en lugar de: «Dame lo que es mío»?

¿Qué sucedería si nosotros hiciéramos lo mismo?

EXISTE UN LUGAR DE INTIMIDAD EN EL ESPÍRITU SANTO DONDE NI SIQUIERA TENEMOS QUE PEDIR LAS COSAS

Tenemos un indicio de cuál fuera quizá la reacción del padre. Le dijo al hermano mayor, que se había quedado en casa: «"Mira, hijo", le respondió el padre, "tú siempre estás conmigo y *todo* lo que tengo es tuyo"»[2].

Creo que *hay un lugar de intimidad en el Espíritu Santo donde ni siquiera tenemos que pedir las cosas*. La Escritura dice: «Recuerda que tu Padre sabe exactamente lo que necesitas antes que se lo pidas»[3].

El rey Asuero preguntó: «Ester, ¿qué es lo que quieres?», y ella le dio prioridad a su presencia al decir: «Nada», que quería decir «ninguna cosa».

«Tan solo ven a cenar conmigo una vez más. No quiero cosas, solo te quiero a ti».

¿Por qué te vas a conformar con la mitad del reino si puedes tener al Rey? Cuando comenzamos a entender el protocolo de su presencia, aprendemos a ponerlo a Él en primer lugar, a servirlo en primer lugar y a agradarlo en primer lugar. Los que conocen el momento adecuado y el lugar apropiado para presentar sus peticiones verán las respuestas *con mayor grandeza y con mayor efecto*.

¡Pide desde la posición de la relación íntima! No olvides el primer principio: Debes *estar* en una relación. Busca su rostro mientras le dices «¡Te amo, papi!», y observa hasta que asome su sonrisa.

La mayoría de los niños entienden este proceso de manera instintiva (y más tarde en la vida lo olvidan). Cuando mi hija menor tenía unos seis años, dominaba el arte de la persuasión delicada. Una vez llegué a casa luego de un viaje y me senté en mi silla preferida para leer el periódico.

Mi hija sabía que esta era una de mis maneras favoritas de relajarme, pero tenía algo más importante que las simples noticias del día para comunicarme.

Justo en el momento en que doblé el periódico y lo coloqué en el ángulo adecuado, ella saltó sobre mi regazo y quitó el periódico de en medio. Luego hizo lo que nadie fuera de mi familia puede hacer: *Me tomó la cara entre las manos para que dirigiera la vista hacia ella.*

—Te amo, papá.

—Yo también te amo. Déjame leer el periódico.

—Te amo, papá.

—Yo también te amo.

Con la sensación de que mi periódico quedaría en el piso hasta que al fin cediera a esta fuerza irresistible, suspiré con una fingida irritación y dije:

—Muy bien, cariño. ¿Qué quieres?

—Nada. Solo te quiero a ti.

QUIERE ALGO GRANDE DE VERDAD

Fue entonces cuando pensé: *Quiere algo grande de verdad.* No pude resistir la tentación de ponerla a prueba una vez más, así que comencé a leer el periódico como si nada hubiera sucedido, aunque resultaba difícil teniendo el regazo ocupado por una hija llena de determinación.

—Te amo, papi. [Beso, beso, beso, beso].

A esta altura, la cosa se ponía seria de verdad.

—¿Qué es lo que *realmente* quieres, mi amor?

—Te extraño, papi, nada más.

Ya podía sentir que los dólares salían a raudales de mis bolsillos. *Sabía* que quería algo, pero había desarrollado demasiada sabiduría persuasiva a lo largo de los años como para lanzar su petición de buenas a primeras. Siguió desequilibrándome al decir:

—No quiero nada, solo te quiero a ti.

No pasó mucho tiempo antes de que esta niña me derritiera el corazón. Cuando no pude soportar más la tensión, le pregunté a mi esposa:

—¿Cuánto falta para cenar?

—Alrededor de una hora —me dijo.

Me dirigí a mi hija y le dije:

—Ven, mi niña, vámonos.

Conducimos hasta el centro de la ciudad y estacionamos frente a una juguetería. Recuerda que mi hija no me había pedido nada, pero para cuando terminó de amarme, yo deseaba entrar a una juguetería y decir con firmeza y en voz alta: «¿Cuál *mitad* del negocio quieres, esta o la otra?».

ME ATRAJO LEGÍTIMAMENTE AL BUSCAR MI ROSTRO

¿Por qué? Porque mi hijita me había atraído legítimamente al buscar mi rostro, no mis manos. Repasemos los pasos que dio Ester hasta llegar al momento en que le hizo la petición al rey:

El día que el rey le perdonó la vida a la reina en la sala del trono:

—Ester, ¿qué quieres?

—Tan solo te quiero a ti. Deseo pasar algún tiempo contigo.

—Ester, te daré lo que quieras, hasta la mitad de mi reino. (Amán se debe haber sobresaltado al escuchar esta declaración).

—Ven a cenar conmigo esta noche... y trae a tu compañero, Amán.

Más tarde esa noche:

Al finalizar el primer banquete, el rey le pide por segunda vez a Ester que le diga lo que anda mal. Sabe que algo sucede, pero sin duda disfruta del proceso de descubrirlo.

—Ester, sinceramente, ¿qué quieres? Hablo en serio.

—Solo te quiero a ti. Quiero estar a tu lado.

—Ester, te daré lo que quieras, hasta la mitad de mi reino. (Amán pudo ver que sus planes privados para el reino se le escapaban de las manos en medio de una avalancha de sentimientos románticos del rey hacia Ester. *Pero sin duda es bueno saber que soy el favorito de la reina*, pensó con aire de suficiencia, aunque se preguntaba por qué se había sentido un tanto olvidado toda la noche).

El rey insistió:

—Dime lo que quieres de verdad, Ester.

—No, *todavía* no estás... ¡huy!, todavía no estoy lista para decírtelo. Pero... ven a otro banquete que he preparado para ti mañana, y Amán también está invitado. Primero déjame servirte en otra fiesta de abundancia. *Entonces* te diré el deseo de mi corazón.

RELLENO CON ABUNDANCIA, ENAMORADO DE LA BELLEZA Y LISTO PARA ESCUCHAR

En este momento de increíble expectativa, Ester deja a Asuero tan relleno con la abundancia de su banquete, tan enamorado de su belleza y tan deseoso de escuchar su petición que no puede dormir. Como aprendimos antes, *la adoración indulgente deja al Rey insomne*.

Cuando el Rey «hace un cambio nocturno teniéndote en mente», los destinos se levantan de las cenizas de los malvados complots y se derriban las altas estrategias de destrucción en contra de la buena gente. Tal vez la reina Ester durmiera como un bebé esa noche, mientras el rey Asuero caminaba de un lado para otro con insomnio (y Amán hacía arder las velas planeando y anticipando su amarga venganza).

Si alguna vez podemos llegar a refinar nuestra búsqueda al punto en el que genuinamente valoremos más al Rey que al reino, nos asombraremos al descubrir lo que el Rey hará por nosotros. Recuerda: Busca el corazón del Rey, no el esplendor de su reino.

El sol de la mañana se levantaría sobre un nuevo paisaje, *un día en que se invierten los papeles divinos* y de cambios en la fortuna que superarían por completo la más alocada imaginación de los hombres. (Recuerdo haber leído en alguna parte: «Ningún ojo ha visto, ningún oído ha escuchado, ninguna mente humana ha concebido lo que Dios ha preparado para quienes lo aman»[4]).

Observa los planes de Dios en acción: la humillación y la elevación están a punto de cambiar de destinatario.

—¡Magnífico! —dijo el rey—. Toma las vestiduras y el caballo, y haz así con Mardoqueo, el judío que trabaja en la puerta real. Hazlo todo en la misma forma que lo has sugerido.

Amán tomó las vestiduras, se las puso a Mardoqueo, le hizo montar en el caballo del rey, y lo condujo por las calles gritando:

—¡De esta manera el rey honra a los que le agradan!

Después de esto Mardoqueo regresó a su trabajo, pero Amán se retiró a su casa. Se sentía humillado [«y cubierta su cabeza» (RV-60)][5].

Con una sola orden, un rey somnoliento hizo añicos el sueño de toda la vida de Amán y elevó hasta lo más alto del poder del imperio a un hombre prejuzgado y condenado a muerte. Sin saberlo, Asuero ordenó que el enemigo más acérrimo de Mardoqueo lo honrara como si fuera el rey de Persia y humilló al hombre que alguna vez fuera el político más temido del imperio. Puedes echarle la culpa al exquisito postre casero que hizo la reina o puedes reconocer al Dios que guió a Ester para que tramara esta estrategia.

El día malo de Amán estaba a punto de empeorar, ¡y el día bueno de Ester se ponía cada vez mejor! Siento que lo mismo sucede en los días en que vivimos. Satanás está a punto de tener un mal día, ¡y la esposa está a punto de experimentar uno bueno! Se trata de encontrar el favor del Rey y de prepararse para el momento en su presencia.

Amán corre a su hogar cubriéndose la cabeza, con la esperanza de encontrar solaz en las palabras de apoyo de su esposa.

> Cuando les dijo a Zeres su esposa y a todos sus amigos lo que había ocurrido, ellos dijeron:
> —Si Mardoqueo es judío, *no podrás destruirlo*. El oponerte a él sería fatal.
> Mientras aún discutían con él, los mensajeros llegaron para conducir a Amán rápidamente al banquete que Ester había preparado[6].

Fíjate que la Escritura dice «*no podrás*». Si eres un hijo de Dios, tómate a pecho esta promesa: «No prevalecerá ninguna arma que se forje contra ti; toda lengua que te acuse será refutada. Esta es la herencia de los siervos del SEÑOR, la justicia que de mí procede —afirma el SEÑOR»[7].

Esto nos lleva a lo que quizá sea una de las mayores lecciones de la vida de Ester: *Refina tu búsqueda hasta llegar al punto en el que genuinamente valores más al Rey que al reino; te asombrarás al descubrir lo que el Rey hará por ti.*

Ester tenía una necesidad desesperante. Su futuro y el de su pueblo estaban en juego. Los iban a matar; los iban a asesinar. Pero tuvo que dejar a un lado su temor para prepararse para el momento. Fueron necesarias tres visitas hasta que sintió que había llegado el momento de apelar al corazón del rey.

EL CORAZÓN DEL REY
ESTÁ BLANDO PARA TI

El corazón del Rey está blando para ti, pero debes dejar de lado tu necesidad por un momento. El protocolo de la presencia del Rey nos enseña a honrarlo antes de pedirle. No le hables a Dios sobre tu necesidad; en cambio, derrama tu amor delante de Él hasta que llegues al lugar de adoración e intimidad.

> PROTOCOLO del PALACIO
>
> 9. MIENTRAS MÁS TE INTERNAS EN EL PALACIO, MENOS GENTE HABRÁ, ¡PERO LA PROVISIÓN SERÁ MAYOR!

En este momento, estoy actuando como un chambelán del Rey y tú eres una Ester en potencia.

El *rojo* es su color favorito, vístete con la sangre del Calvario.

Ponte los mantos de alabanza... póntelos y cambia la pesadez por la adoración, te sientas como te sientas. Sumérgete en el aceite de la unción.

Si puedes olvidarte de tus necesidades el tiempo suficiente como para servir a la mesa de Dios y satisfacer su hambre con tu adoración... el cielo puede ser literalmente el límite de lo que Él haga por ti y de lo que te dé. Hay un axioma asombroso: «*Mientras más te internas en el palacio, menos gente habrá, ¡pero la provisión será mayor!*».

No hay muchos que aprendan las lecciones que se necesitan para ganar el acceso a los rincones interiores del palacio. Se necesita mucho tiempo, se requiere mucha preparación y nos obliga a sustituir nuestro ego por los deseos del Rey.

No todos están dispuestos a hacerlo. Yo no puedo hacerlo por ti; nadie puede. Solo soy un chambelán.

No puedo producir cambios, pero puedo orar para que aprendas las lecciones necesarias a fin de pasar por los patios externos y entrar al lugar de adoración íntima.

Para esos que quieren escuchar y aprender: *Mientras más te internas en el palacio, menos gente habrá, ¡pero la provisión será mayor!*

CAPÍTULO 12

Y VIVIERON FELICES PARA SIEMPRE

*Vivir en la casa del Rey y
usar el anillo del Rey*

＝＝＝

Los albores de la mañana trajeron cambios radicales a la ciudad de Susa. También marcaron un cambio de ciento ochenta grados en la dirección de los vientos del destino. ¡Cuántas cosas pueden cambiar en un solo día, en tan solo veinticuatro horas! Algunos días parecen ser más importantes que otros y algunas victorias más significativas que otras.

El día en que Amán y el rey Asuero se sentaron durante el segundo banquete que ofreció la reina Ester, marcó una de las mayores victorias en la memoria del pueblo judío. Los acontecimientos de este día (y de la noche anterior) conducirían a uno de los cambios más trascendentales en la historia humana.

Sucedió a través de la mano invisible de Dios; un Dios que solo se menciona en el libro de Ester en un acróstico oculto que al parecer se repite varias veces en los manuscritos originales del hebreo[1]. (Que esté fuera de la vista no quiere decir que esté fuera del juego. Dios seguía dentro del juego). Las obras ocultas de un Dios todopoderoso salvaron el día. Sería un día de *degradación demoníaca* y de *promoción celestial* a la vista de toda una nación. ¡Un cambio de papeles divino!

Recuerda la antigua promesa hebrea que se hace eco en las Escrituras: *Lanzamos la moneda al aire, pero el Señor es el que determina el resultado*[2]. Este no sería un día de lamento, sino de gozosa celebración para el pueblo de Dios.

La noche anterior, el rey había caminado incansablemente por su residencia real y al final pidió su mejor recurso para dormir, las crónicas reales.

Amán había regresado a su casa del primer banquete de la reina Ester para contarle sus glorias a la familia y a los amigos, y para planear con amargura su venganza contra el judío Mardoqueo esa misma noche.

En lo que respecta a la reina Ester, tal vez hiciera los primeros preparativos para el rey y luego se fuera a dormir. Como no se nos dice lo contrario, suponemos que Mardoqueo seguía vestido con arpillera y sobre cenizas fuera de la puerta del rey o se había ido a casa para esperar otro día que pasaría sobre las cenizas del juicio inminente.

EL DECRETO DE AMÁN AUTORIZABA EL ASESINATO DE CADA JUDÍO

Al amanecer de «ese día», el decreto de Amán, sellado con el anillo de Asuero, se había enviado a las ciento veintisiete provincias que se extendían desde la India hasta Etiopía. Autorizaba de forma específica el asesinato de todos los judíos del Imperio Persa; también autorizaba el subsiguiente saqueo de la riqueza de los judíos a fin de financiar la limpieza étnica.

Los enemigos de los judíos preparaban sus armas y la expectativa era muy alta en el campo de Amán. Todos los que alguna vez se sintieron ofendidos por un judío o los que les tuvieron celos, esperaban con ansias el día en que pudieran erradicar «legalmente» a los extranjeros judíos y saquear sus bienes. (Mientras tanto, los amigos de los judíos meneaban la cabeza y se preguntaban a qué se debía este extraño giro de los acontecimientos).

La ciudad de Susa se encontraba confundida. El genocidio parecía inminente e irreversible. Una vez que la ley terrenal de los medos y los persas se emitía, no se podía volver atrás.

A pesar de todos los riesgos, de todo el trabajo y la preparación a la que se sometió Ester, parecía que no había avanzado nada hacia el triunfo del perdón para los judíos en comparación con el día anterior. Solo quedaba un banquete y ella sabía que no podía entretener al rey durante mucho tiempo más. Es probable que se levantara al amanecer para ocuparse de los preparativos. Al decidir concentrarse en el rey, permanecía un tanto ajena a lo que sucedía fuera de las paredes del palacio real.

¿Alguna vez te has sentido cansado, desanimado y al parecer sin avances en el camino de la vida con respecto al momento en que entraste en el valle de la prueba y la tribulación? ¿Te diste por vencido o comenzaste a caminar de nuevo, paso a paso? ¿Alguna vez has vivido, como la gente de Susa, en tiempos o circunstancias confusas?

¿Cuántos amaneceres debemos ver antes de creer que la fiel salida y puesta del sol refleja, sencillamente, la fidelidad de un Dios invisible, de aquel que pone en órbita a los planetas y que mantiene en órbita nuestras vidas debido a su gracia?

Imagina la conmoción que se produjo entre los residentes de una ciudad acostumbrada a la pompa de las entradas y salidas reales. Habían visto pasar muchas cosas frente a sus negocios, hogares y mercados, pero esta visión los dejaba atónitos.

> PROTOCOLO DEL PALACIO
>
> 10. CUANDO EL ENEMIGO PLANEA TU DESTRUCCIÓN, EL REY PLANEA TU RECOMPENSA.

El gran Amán, el temido visir y poderoso primer ministro del Imperio Persa, daba vueltas por las calles de la ciudad mientras conducía al judío Mardoqueo que montaba sobre el mismísimo caballo del rey.

¡Mardoqueo recibía su propio desfile privado! Amán se encontraba en la humillante posición de ser el sirviente del hombre para el cual había construido una horca la noche anterior. ¡Qué lección de vida! *La misma noche que el enemigo planea tu destrucción, el Rey planea tu recompensa*.

Amán aprendió el desagradable corolario de aquella ley divina: La misma noche en que planeas tu orgullosa recompensa, Dios puede estar orquestando tu humillante caída. Las Escrituras le advierten al orgulloso: «Al orgullo le sigue la destrucción; a la altanería, el fracaso»[3].

Es probable que Satanás tenga planes para ti, ¡pero Dios también los tiene! «Porque yo sé muy bien los planes que tengo para ustedes —afirma el SEÑOR—, planes de bienestar y no de calamidad, a fin de darles un futuro y una esperanza»[4].

¡Mira los planes de Dios para Mardoqueo!

Amán, el hombre al mando que era segundo después del gran rey Asuero, le había puesto las ropas reales y lo había ayudado a montar el semental del rey que llevaba la insignia real. En circunstancias normales, esto se hubiera considerado una ofensa capital digna de la más dolorosa muerte. Lo más asombroso de todo es que, el mismo Amán, balanceándose con nerviosismo de un lado a otro con un miedo mortal, gritaba los elogios para el judío Mardoqueo en la plaza de la ciudad: *«¡De esta manera el rey honra a los que le agradan!»*[5].

Algunas fuentes rabínicas enseñan que Amán tuvo que actuar como «sirviente personal» de Mardoqueo al tener que lavar y vestir en persona a este hombre que pasó varios días lamentándose sobre las cenizas. También dicen que Amán tuvo que «inclinarse de modo tal que Mardoqueo pudiera pisarle el cuello a fin de montar el caballo, ya que estaba demasiado débil debido al ayuno»[6].

Lo que es peor, de acuerdo a los rabinos, la hija de Amán pensó que el hombre que estaba sobre el caballo era Amán y que el que guiaba al caballo era Mardoqueo. Ansiosa por humillar al peor enemigo de su padre, se inclinó sobre el borde del techo de su casa y vació un orinal lleno (quizá solo debamos llamarle un inodoro portátil) sobre la cabeza del hombre que, a su parecer, era el despreciable judío.

Cuando el pestilente contenido dio en el blanco, ¡la víctima levantó la mirada y la hija se dio cuenta de que acababa de humillar a su propio padre! Los rabinos dicen que, de inmediato, se cayó del techo y murió[7].

Después de esto Mardoqueo regresó a su trabajo, *pero Amán se retiró a su casa. Se sentía humillado.* Cuando les dijo a Zeres su esposa y a todos sus amigos lo que había ocurrido, ellos dijeron:

—Si Mardoqueo es judío, no podrás destruirlo. El oponerte a él sería fatal.

Mientras aún discutían con él, los mensajeros llegaron para conducir a Amán rápidamente al banquete que Ester había preparado[8].

La miseria y la humillación de Amán durante los momentos previos a la llegada de los eunucos del rey fueron mucho peor de lo que ninguno de nosotros es capaz de imaginar. Las cosas estaban a punto de ir de mal en peor para Amán, el enemigo de los judíos. Hasta es probable que casi no haya tenido tiempo de lavarse para quitarse de encima el mal olor antes de salir corriendo hacia el banquete, el segundo banquete.

El total revés de su suerte, por el decreto soberano de Dios, estaba a punto de cumplirse. La narración de la Escritura es poderosa en su sencillez:

El rey y Amán fueron al banquete de la reina Ester, y al segundo día, mientras brindaban, el rey le preguntó otra vez:

—Dime qué deseas, reina Ester, y te lo concederé. ¿Cuál es tu petición? ¡Aun cuando fuera la mitad del reino, te lo concedería!

Ester respondió:

—Si me he ganado el favor de Su Majestad, y si le parece bien, mi deseo es que me conceda la vida. Mi petición es que se compadezca de mi pueblo. Porque a mí y a mi pueblo se nos ha vendido para exterminio, muerte y aniquilación. Si solo se nos hubiera vendido como esclavos, yo me habría quedado callada, pues tal angustia no sería motivo suficiente para inquietar a Su Majestad.

El rey le preguntó:

—¿Y quién es ese que se ha atrevido a concebir semejante barbaridad? ¿Dónde está?

—*¡El adversario y enemigo es este miserable de Amán!* —respondió Ester.

Amán quedó aterrorizado ante el rey y la reina[9].

Cuando las cosas *cambian*, ¡cambian! Fíjate en lo oportuno de este cambio de papeles divino. El momento que cambia el destino dura unos pocos segundos. El proceso de preparación fue largo, pero el momento de favor vino con rapidez.

El favor hace que tus enemigos te tengan miedo.

Si es cierto que para el Señor un día es como mil años, tal vez debiera decirse que el favor divino restaurará en un día lo que se ha robado durante toda una vida.

EL COMPLOT DEL ENEMIGO SE CONVIERTE EN LA OPORTUNIDAD DE DIOS

La historia de Ester es una crónica espectacular de una serie de cambios de papeles divino:

Una campesina se convierte en princesa y la coronan reina.
El complot del enemigo se convierte en la oportunidad de Dios.
Mardoqueo recibe una promoción celestial y lo *libran* de la muerte.
Amán es objeto de una degradación demoníaca y lo *condenan* a muerte.

Dios *busca* una oportunidad para humillar al enemigo de tu destino. Antes de que todo haya terminado, ¡hasta Satanás tendrá que confesar que Jesucristo es el Señor!

Fíjate cómo se ve esto en Ester.

La reina usa las habilidades adquiridas a fin de aumentar su capacidad de comunicarle un mensaje vívido al rey. Usa tres palabras específicas, que registran niveles cada vez más altos de violencia y caos, al decir que la habían vendido a quienes los *exterminarían*, *matarían* y *aniquilarían*. (Me pregunto si pensaría que a los hombres los exterminarían, a las mujeres las matarían y a los hijos, y al futuro de la raza judía, los aniquilarían).

La descripción resulta en extremo similar a la que Jesús dio del gran ladrón de este mundo: «El propósito del ladrón es robar, matar y destruir». (Robarte la fuerza, matar tu presente y destruir tu futuro; eso es lo que Satanás ha planeado. Ahora lee el resto del versículo para escuchar lo que Dios ha planeado para ti). «Mi propósito es dar vida eterna y abundante»[10].

Cualquier cosa que Ester tuviera en mente, sabemos que sus palabras llegaron al corazón del rey como fieros dardos. Este supremo monarca terrenal ya había demostrado la fuerza letal de su ira real, pero parece que nada lo había enfurecido antes hasta este nivel.

AMÁN TENÍA «UNA TERRIBLE EXPECTATIVA DE JUICIO»

Leí algo en el libro de Hebreos que debe acercarse a la descripción del terror que Amán sintió aquel día mientras las palabras finales de la reina Ester sonaban en el pasmoso silencio. En el momento que la copa del rey quedó suspendida a mitad de camino entre la magnífica mesa del banquete y sus propios labios, Amán debe haber sentido un terror paralizante, «una terrible expectativa de juicio, el fuego ardiente que ha de devorar a los enemigos de Dios»[11].

¡A lo mejor nos encontramos en el minuto del cambio de papeles!

El rey se levantó y salió del banquete al jardín del palacio mientras Amán se quedó suplicándole a la reina Ester para que le salvara la vida, porque sabía que estaba condenado. En su desesperación cayó sobre el diván donde la reina Ester estaba reclinada, en el momento mismo en que el rey regresaba del jardín del palacio.

—¿De modo que también quieres violar a la reina aquí mismo en el palacio, delante de mis propios ojos? —rugió el rey.

Instantáneamente le cubrieron el rostro a Amán con el velo de los condenados a muerte[12].

Al cubrirle de repente el rostro a Amán, su descenso hacia la condenación fue al parecer completo. Esto se reservaba solo para los que daban vergüenza, para los amargados de corazón y para los condenados a muerte.

Hacía unas pocas horas, Amán se había puesto alegremente sus mejores galas, con la esperanza de ver, por fin, llevados a cabo sus elaborados planes de dulce venganza que había tramado la noche anterior en contra del judío Mardoqueo.

Salió de su espaciosa vivienda y se entretuvo un rato a la sombra de la estaca de veinticinco metros que había levantado en su patio. Lo que lo hacía sentir particularmente orgulloso era la afilada punta en lo alto, un perfecto instrumento de muerte para atravesar a alguien.

Así eran las horcas de los antiguos persas. En efecto, a la gente la colgaban de las horcas, pero no con una cuerda alrededor del cuello. Los atravesaban con la afilada punta y los empalaban allí, suspendidos en el aire, hasta que morían.

A los pocos instantes de que Amán entrara a los patios reales, donde antes había ejercido semejante poder sin precedentes, el rey le ordenó que honrara a su odiado enemigo con todos los honores pensados con sumo cuidado que Amán había deseado en secreto (y luego prescrito) para sí mismo.

ATRAPADO Y EMPALADO EN SU PROPIA TORRE DE PALABRAS PETULANTES

Ahora Amán había quedado atrapado y empalado en su propia torre de palabras petulantes. En cuestión de segundos, su destino quedó reducido a una breve y violenta letanía de destrucción. Como no tenía nadie más a quién recurrir, el creador de intrigas caído decidió de forma impulsiva que debía rogarle misericordia a la reina mientras el rey buscaba a los guardias armados que habían quedado afuera durante el banquete íntimo con Ester.

¿Cuánto tiempo le puede llevar a un rey reunir a sus guardaespaldas? (Es probable que no le llevara más de un par de minutos).

No sabemos si Amán se «resbaló» o solo se «extendió» sobre el regazo de la reina Ester paralizado por el miedo, pero no nos queda ninguna duda de lo que el rey vio en sus acciones. Uno de los chambelanes del rey ofreció enseguida algo de información que remató el destino de los complots secretos de Amán y su asesinato premeditado. (¡Tal vez hasta este momento hayan pasado tres minutos!).

Y Jarboná, uno de los eunucos que atendían al rey, dijo:

—Hay una estaca a veinticinco metros de altura, junto a la casa de Amán. Él mandó colocarla para Mardoqueo, el que intervino en favor del rey.

—¡Empálenlo en ella! —ordenó el rey[13].

¡Es probable que pasaran menos de cinco minutos antes de que Amán cayera a pique del privilegio de asistir a un banquete de adoración a la destrucción como un enemigo derrotado!

De modo que empalaron a Amán en la estaca que él había mandado levantar para Mardoqueo. Con eso se aplacó la furia del rey.

Ese mismo día el rey Asuero le dio a la reina Ester las propiedades de Amán, el enemigo de los judíos. Mardoqueo se presentó ante el rey, porque Ester le había dicho cuál era su parentesco con ella. El rey se quitó el anillo con su sello, el cual había recuperado de Amán, y se lo obsequió a Mardoqueo. Ester, por su parte, lo designó administrador de las propiedades de Amán[14].

LA EXHIBICIÓN PÚBLICA DE LA HUMILLACIÓN DE AMÁN

He oído decir que la estaca de veinticinco metros de Amán era un monumento al exceso de su ego lleno de orgullo. Haya sido así o no, se convirtió en el instrumento de su muerte y en una exhibición pública de su absoluta humillación.

Conozco a otro que, en su humilde obediencia, despojó «a los principados y a las potestades, [y] los exhibió públicamente, triunfando sobre ellos en la cruz», utilizando su propio cuerpo clavado a una sangrienta estaca sobre un monte llamado Calvario[15].

(El repentino y certero juicio del rey Asuero me recuerda al certero juicio pronunciado por el supremo Rey de reyes sobre el padre de todas las mentiras, al archiconspirador en contra del reino de Dios[16]).

En los reinos antiguos, era frecuente que la propiedad de los criminales convictos volviera a la corona[17]. La confiscación de los bienes y del poder de Amán me recuerdan al monarca celestial que «se llevó consigo a los cautivos y dio dones a los hombres»[18]. En ambos casos, *el saqueo del infierno se utilizó para proveer para los hijos del cielo.*

También leí en alguna parte que: «El hombre de bien deja herencia a sus nietos; las riquezas del pecador se quedan para los justos»[19]. Este es otro gran cambio de papeles puesto en marcha por nuestro Rey invisible a favor de quienes cuentan con su favor.

¡Cuántas cosas pueden cambiar en un día! Ester halló el favor del rey, en tres días pasó de la muerte probable en la sala del trono a un final de cuentos de hadas, «y vivieron felices para siempre» en la casa del rey, gozando de su favor íntimo.

EL FAVOR ELEVÓ A MARDOQUEO DE EMPLEADO A PRIMER MINISTRO

En un día, el favor transportó a Mardoqueo de una pila de cenizas donde se lamentaba vestido con arpillera afuera de la puerta del rey, ¡a que lo loaran mientras vestía las ropas del rey y cabalgaba sobre el caballo real por toda la ciudad! Sabemos que para el Señor un día es como mil años; entonces tal vez debiéramos decir que Dios puede compactar el favor de mil años en un solo día. El favor es capaz de restaurar en un día lo que se robó durante toda una vida. En definitiva, el favor lo elevó desde la mesa de un empleado que trabajaba del lado de afuera de la puerta del palacio a la oficina del primer ministro, al lado del rey en la corte real. Imagínalo llevando en su dedo el anillo del rey y ejerciendo su misma autoridad.

> PROTOCOLO DEL PALACIO
>
> II. EL FAVOR LOGRA RESTAURAR EN UN DÍA LO QUE SE ROBÓ DURANTE TODA UNA VIDA.

Llegará el día en que los fieles adoradores lleven sobre sus hombros las vestiduras de justicia del Rey y monten uno de los caballos del Rey para un desfile en el campo de batalla celestial en el que se vea la gloria del Rey revelada en la batalla[20].

La obediencia, el valor y la comprensión del protocolo de la presencia del rey que tenía Ester, le trajo salvación a ella y promovió a Mardoqueo.

Sin embargo, *todavía* había algo malo.

EL VIRUS DE LA LIMPIEZA ÉTNICA OPERA EN PILOTO AUTOMÁTICO

El decreto de muerte en contra de los judíos todavía seguía vigente en todas las provincias de Persia. Se había sembrado un virus antisemítico letal en el imperio que operaba en piloto automático. Aniquilaría a los judíos aunque su ingeniero y creador estuviera muerto. Una vez más, Ester se acercó al trono del rey sin invitación.

> Entonces, una vez más, la reina Ester se presentó delante del rey, se postró a sus pies y le rogó con lágrimas que detuviera el complot de Amán contra los judíos. Una vez más el rey le extendió el cetro de oro a Ester. Ella se levantó y se puso de pie delante de él y dijo:
> —Si agrada a mi señor el rey, y si él me ama, envíe un decreto derogando la orden de Amán de exterminar a los judíos a través de todas las provincias del rey. ¿Cómo podría yo soportarlo, y ver que mi pueblo es asesinado y destruido?[21]

El ruego desesperado de Ester se hace eco de las innumerables oraciones que enviamos al cielo todos los días. Le rogamos a Dios que derrote a nuestros enemigos y que recree una batalla que se ganó hace dos mil años. De manera muy parecida a la que el rey Asuero le respondió a Ester[22], nuestro Rey nos ha recordado con suavidad que ya ha puesto su anillo sello en nuestro dedo cuando nos dio el poder y el derecho de usar su nombre en esta tierra.

Mandar el mensaje en nombre del rey depende de nosotros. Creo que recuerdo que dijo: «Te daré las llaves del reino de los cielos; todo lo que ates en la tierra quedará atado en el cielo, y todo lo que desates en la tierra quedará desatado en el cielo»[23].

EN ESTE MOMENTO, YA DEBE HABER VICTORIA EN LAS ESFERAS CELESTES

Lo que sucedió en los días de Ester es un cuadro natural de la verdad sobrenatural que *debe* ocurrir en las esferas celestes en este mismo momento mientras alabamos y adoramos a nuestro Rey.

El mismo día en que debían ser puestos en efecto los dos decretos del rey (día en que los enemigos de los judíos tenían esperanza de vencerlos y *sucedió todo lo contrario*), los judíos se reunieron en sus ciudades a través de todas las provincias del rey *para defenderse contra los que pudieran tratar de hacerles daño*. Pero nadie se atrevió, porque sentían gran temor[24]. Y todos los gobernadores de las provincias, gobernadores, oficiales y cortesanos, ayudaban a los judíos por temor de Mardoqueo [...] Pero los judíos cumplieron con el decreto el día señalado y mataron a todos sus enemigos[25].

EL FAVOR HACE QUE TUS ENEMIGOS TE TENGAN MIEDO.

Las «susceptibilidades» modernas de algunos cristianos, en lo que llamamos tiempos más civilizados, se ofenden ante cualquier mención de conflicto militar, combate o muerte en tiempos de guerra. Algunos están del todo convencidos de que la guerra nunca se justifica y tienen derecho a sostener esa opinión.

Sin embargo, la Palabra de Dios nos ordena *odiar al pecado*. Ya sea que obtengamos mayor entendimiento de las batallas naturales o de las verdades espirituales del libro de Ester, queda claro que Dios desea erradicar cualquier forma de sombra de pecado a fin de tener comunión libremente con su creación. Es por eso que entregó a su Hijo como sacrificio en la cruz.

Amán, un amalecita y descendiente directo del rey Agag de los días de Saúl, representa el pecado en toda su malignidad y odio hacia lo que es bueno. La Biblia dice que los judíos se defendieron cuando los atacaron y que solo en Susa mataron a quinientos enemigos. Cuando se trata del pecado, debes tener el instinto de un asesino. Quizá resulte difícil imaginarse a la elegante Ester bajo esa luz... ¡hasta que te das cuenta por qué luchaba! Tú también luchas por tu familia, por tus amigos y por tu nación. ¿Hasta dónde llegarás para completar la victoria?

A los diez hijos de Amán también los asesinaron, pero todavía quedaban enemigos armados que amenazaban a los judíos en esa ciudad. Fue a esta altura que el rey Asuero preguntó qué más podía hacer por la reina Ester y ella hizo esta petición extraña (según la opinión de ciertos críticos):

[El rey Asuero] llamó a la reina Ester.

—Los judíos han dado muerte a quinientos hombres en Susa solamente —le dijo—, y también mataron a los diez hijos de Amán. Si esto han hecho aquí, me pregunto qué habrá ocurrido en el resto de las provincias. ¿Qué más deseas? También te será concedido. Dímelo y te lo daré.

Y Ester dijo:

—Si agrada a mi señor el rey, deja que los judíos que están en Susa *hagan mañana nuevamente lo que han hecho hoy*, y permite que los diez hijos de Amán sean colgados en horcas[26].

Cuando el Rey pregunte: «¿Qué más deseas?», siempre responde: «¡La victoria completa!».

Esta es también otra lección valiosa de Ester: *¡Dios te dará un día extra para que te asegures que la victoria sea completa!* Dijo: «¡Y yo les devolveré las cosechas que las langostas comieron!»[27].

¿No fue grosero de parte de Ester pedirle al rey: «Danos otro día más para matar a nuestros enemigos?». En nuestros días, a esto se le dice «abultar el marcador». Algunas veces, en los deportes, los entrenadores bien intencionados que tal vez no tengan un instinto asesino digan: «No quiero abultar el marcador». ¡Quizá te sorprenda saber que en las Escrituras hay evidencia de que a veces Dios nos da entradas extra a fin de abultar el marcador contra el mal!

> ¡DIOS TE DARÁ UN DÍA EXTRA PARA QUE TE ASEGURES QUE LA VICTORIA ES COMPLETA!

ELEVACIÓN—HUMILLACIÓN

La vida de Ester nos enseña: *La sabiduría del Rey usará el mismo proceso que te eleva para humillar a tu enemigo.*

La misma agua del Mar Rojo que les proporcionó una vía de escape a los hijos de Israel también resultó ser una tumba para el enemigo que los perseguía.

Tal vez te parezca que el enemigo te pisa los talones, pero cuando el Rey termine con él, ¡hasta Lucifer se inclinará y lo llamará Señor![28]

En contra de la opinión popular, *el odio es una parte necesaria del vocabulario cristiano.* Dios nos ordena que amemos la justicia y que *odiemos* al pecado[29].

Por más hermosa que fuera Ester, oculto en lo profundo de su ser se hallaba la determinación de *terminar lo que Saúl había dejado incompleto.* A pesar de que este rey guerrero sobrepasaba por una cabeza a todos sus compatriotas, no tuvo lo que se necesitaba para obedecer a Dios y destruir del todo a los amalecitas. Era fuerte de cuerpo, pero débil de carácter. Ester quizá fuera débil de cuerpo, pero fuerte de carácter.

El instinto asesino surgió en la reina y se dijo: «No solo me aseguraré que *nosotros* sobrevivamos, sino que me aseguraré que *él no sobreviva*». Estaba decidida a cumplir con el mandato de Dios: *Amán, el último descendiente de la línea asesina del rey Agag, el amalecita, no debía sobrevivir.* (Ni *ninguna descendencia* de su espíritu).

¿Podrá ser esta otra representación más de las palabras proféticas que Dios le dijo a Satanás, la serpiente? «Pondré enemistad entre tú y la mujer, y entre tu simiente y la de ella; su simiente te aplastará la cabeza, pero tú le morderás el talón»[30].

El rey lo concedió. El decreto fue promulgado en Susa, y colgaron los cadáveres de los diez hijos de Amán. Entonces los judíos de Susa se reunieron y dieron muerte a otros trescientos hombres, pero no tomaron sus propiedades.

Mientras tanto, los judíos de las demás provincias del imperio *se habían reunido también para defender sus vidas y habían destruido a sus enemigos*, dando muerte a veinticinco mil personas que los odiaban. Pero no tomaron sus bienes[31].

Ester no se contentaría solo con ver eliminado a Amán. Debemos recordar lo que aprendimos antes: *Lo que no erradiques cuando eres fuerte, volverá a atacarte cuando estés débil.*

Amán plantó un virus letal de odio y genocidio por todo el Imperio Persa. Un hombre lleno de odio orquestó la destrucción de los judíos de buenas a primeras. Si no actuaban, los destruirían aunque el «padre» de la conspiración estuviera muerto.

Ester se expuso para *poner el talón sobre la cabeza de la autoridad ilegítima*. Estoy convencido de que algunas veces la fuerza letal se debe combatir con fuerza letal. En lo que a los judíos respecta, parece claro que actuaron sobre todo en defensa propia y que pelearon solo contra quienes los atacaban con malicia y armas de destrucción. Hasta se negaron a seguir la norma cultural de saquear los bienes de sus enemigos.

¿Para qué se colgaron los cuerpos de los diez hijos de Amán en las horcas? Era el equivalente cultural de guerra de lo que hoy es agitar un trofeo frente a las cámaras de televisión, de cortar la red de la canasta en el baloncesto y de derribar en público las estatuas de los tiranos malvados.

USTEDES LO COMENZARON, AHORA NOSOTROS LO *TERMINAREMOS*

Ester les dejaba un claro mensaje a los enemigos del pueblo judío: «Ustedes comenzaron esto sin una causa. Ahora se convertirá en una desproporcionada victoria que nunca tendremos que pelear esta batalla de nuevo». Una vez que sus enemigos comenzaron la lucha, los judíos se ocuparon de que la *terminaran*.

¿Dios está de verdad a favor de abultar el marcador de esta manera? Bueno, una vez detuvo el sol para asegurarse de que su pueblo tuviera la suficiente luz de día como para completar su victoria[32]. Esto nos da un enfoque nuevo por completo de la máxima bíblica: «No dejen que el sol se ponga estando aún enojados»[33]. ¡Termina la lucha!

> LA ESPOSA NO SE PREOCUPA CUANDO EL ENEMIGO NO TIENE HIJOS.

Nos corresponde a nosotros, en nuestros días, ponerle fin al enemigo y destruir las obras de él que se prolongan. Adopta las tácticas de Ester. Debemos usar el «anillo sello» del nombre del Rey mientras nos vestimos con mantos de alabanza, adoración y justicia. Ganamos batallas espirituales al tomar las armas de nuestra milicia mediante la alabanza apasionada y la adoración indulgente.

¿Eso no es demasiado guerrero para los amorosos cristianos? Recuerdo a alguien en la Biblia que dijo algo acerca de la iglesia que también es muy guerrero:

> Porque *las armas de nuestra milicia* no son carnales, sino *poderosas en Dios* para la destrucción de fortalezas, derribando argumentos y toda altivez que se levanta contra el conocimiento de Dios, y llevando cautivo todo pensamiento a la obediencia a Cristo, y estando prontos *para castigar toda desobediencia*, cuando vuestra obediencia sea perfecta[34].

¿Cómo reconciliamos a la campesina que se transformó en princesa con la reina que peleó la guerra al final del libro de Ester? Mientras toleres el pecado dentro del palacio, se multiplicará. Debes erradicar al enemigo en el día de tu fuerza. *La esposa no se preocupa cuando el enemigo no tiene hijos.* La línea de los agagueos había desaparecido; el gozo había llegado en la mañana.

> **¡TERMINA LA LUCHA Y LAS GENERACIONES FUTURAS PODRÁN CELEBRAR!**

La historia de Ester es el acta suprema de cambios de papeles divino. Mardoqueo, el escriba, describió las repercusiones cuando les escribió una carta a los judíos que se encontraban en todo el Imperio Persa.

Pidiéndoles que estableciesen una festividad anual en el último día del mes para *celebrar* con fiestas, alegría y regalos este día histórico en que los judíos fueron salvados de sus enemigos, cuando sus pesares se convirtieron en alegría y sus lamentos en felicidad[35].

Estos dos días de celebración se conocieron como el Purim, pues Amán en un principio estableció la fecha de la destrucción de los judíos echando *pur* (o dado). ¿Cómo te gustaría que se llamara el día de tu victoria? Un día al que tu enemigo le *ponga el nombre*, pero que tú *celebres*. Nunca subestimes cómo se puede transformar un *mal* día en un día *bueno* a través de la adoración.

Esta fiesta se sigue celebrando hoy en día en Israel y en las comunidades judías de todo el mundo. *¡Termina la lucha y las generaciones futuras podrán celebrar!*

LO QUE AMÁN HIZO PARA DESTRUCCIÓN, DIOS LO CAMBIÓ PARA LIBERACIÓN

Casi puedo escuchar a Mardoqueo, el primer ministro, diciéndoles a sus compañeros judíos en la carta: «Mucho antes de que Amán tirara el dado (*pur*) para establecer el día de nuestra destrucción, el Todopoderoso había establecido este día para nuestra liberación. Este día estaba destinado y decretado para que fuera de celebración y no de lamento. Por lo tanto, ¡de aquí en adelante celebraremos esta fecha!».

El Purim representa tanto la liberación divina de los judíos de un complot genocida como el amor íntimo que siente un Buscador de Dios por la presencia del Rey de reyes. Esta fiesta de deleite, triunfo y acción de gracias celebra nuestra liberación divina de un decreto de muerte.

Es el festival del Salmo 23, cuando cantamos al Señor: «*Me das delicioso alimento en presencia de mis enemigos. Me has recibido como invitado tuyo. ¡Tus bendiciones se desbordan!*»[36].

Cuando le adoramos, el Rey mueve cielo y tierra para revertir los juicios, los complots y los ardides en contra de nosotros y convertirlos en nuestra promoción celestial, mientras derrota a nuestro verdadero enemigo (Satanás) en una destrucción demoníaca. Es asombroso que la Escritura termine con el *ascenso* de la esposa y el *descenso* de Satanás.

PROTOCOLO DEL PALACIO

12. ¡UNA NOCHE CON EL REY LO CAMBIA TODO!

¡Las decisiones simples que tomó un rey poderoso alteraron el destino de un pueblo! Sin embargo, esas decisiones recibieron la influencia de una joven judía llamada Ester. Arrancada de su zona de comodidad y arrojada a un entorno lujoso pero peligroso, peleó una sabia guerra de adoración y, al final, alcanzó «*el favor del rey*».

Tú también puedes alcanzar el favor del Rey si te preparas para tu momento en su presencia.

Desde la primera mirada ruborizada de una joven hacia su amado, hasta la búsqueda apasionada de los esposos recién casados, el amor es inseparable de la vida. La mayor lección que podemos aprender de Ester es sencilla: ¡*Enamórate del Rey!*

Descubre la maravilla de la presencia del Rey. ¡Te escogieron para un momento como este! Tú también estás destinado al palacio, al lugar de su presencia. *Prepárate para tu momento en su presencia. Prepárate para tu momento de favor divino.*

Aprende el protocolo de su presencia; aprende a librarte de tus costumbres campesinas y a conducirte como una princesa. Ponte su color favorito. Decide no gritar más tus demandas desde las puertas.

Una vez que aprendas el protocolo de su presencia, una vez que domines el arte de la preparación, puedes susurrar tus deseos desde el abrazo íntimo de la adoración en vez de anunciar tus peticiones de manera formal en las cortes de afuera.

Cuando la iglesia, la esposa del Rey, susurra los deseos de su corazón, el corazón del Rey se conmueve y los reinos comienzan a cambiar como los peones en un tablero de ajedrez.

¿Para qué preocuparte e inquietarte por tu destino? Prepárate para tu momento de favor. La intimidad con el Rey tiene la llave de tu futuro.

Ester tenía una cita a ciegas con el destino y tú también puedes tenerla. *Nunca subestimes el potencial de un encuentro de adoración.*

Solo hace falta una noche con el Rey para convertir a una campesina en princesa. Un momento de favor puede cambiarlo todo. ¡Treinta segundos en su presencia pueden cambiar tu destino!

*Nunca subestimes el potencial de **un** encuentro.* Un momento de favor con el monarca soberano puede cambiar tu rumbo para siempre.

¡Una noche con el Rey lo cambia todo!

Me encantaría tener noticias tuyas. Existen muchos más recursos de Ester disponibles en línea, incluyendo una versión en audio de este libro. Por favor, visita **www.godchasers.net** y háblame de tus pensamientos e ideas.

Tony Tony

Doce protocolos del palacio

Los secretos de Ester para hallar el favor del rey

1. Nunca subestimes el potencial de un encuentro.

2. Busca el corazón del rey, no el esplendor de su reino.

3. ¡Más vale un día de favor que toda una vida de labor!

4. La adoración es el protocolo que protege al Rey y distingue al visitante.

5. La influencia fluye de la intimidad y el acceso viene de la relación.

6. Si aprendes lo que favorece el Rey, puedes convertirte en un favorito.

7. Si tu enemigo es el enemigo del Rey, tu batalla es la batalla del Rey.

8. El favor es lo que ocurre cuando la preparación se encuentra con la oportunidad.

9. Mientras más te internas en el palacio, menos gente habrá, ¡pero la provisión será mayor!

10. Cuando el enemigo planea tu destrucción, el Rey planea tu recompensa.

11. El favor logra restaurar en un día lo que se robó durante toda una vida.

12. ¡Una noche con el Rey lo cambia todo!

TOMMY TENNEY es el autor es el autor de la serie que ha tenido ventas multimillonarias, *En la búsqueda de Dios*, que incluye *La casa favorita de Dios*, *Los captores de Dios*, *Desde la perspectiva de Dios* y *Oraciones de un buscador de Dios*. Además de esta serie, tenemos *Formemos a nuestros hijos mientras buscamos a Dios*, que escribió junto con su madre, y *Busquemos a Dios, sirvamos al hombre*, una revisión reveladora de la historia de María y Marta. También es autor de otra serie de libros que incluye *El equipo soñado por Dios* y *El secreto de Dios para la grandeza*, que le han ayudado a cumplir con el mandato de esparcir el evangelio a través de la literatura.

Tommy es un prolífico escritor que tiene más de un millón de libros impresos por año y ocho *best sellers* hasta la fecha. Sus libros se han traducido a más de treinta idiomas y se han propuesto para muchos premios, incluyendo el «Gold Medallion Award» y «Retailer's Book of the Year».

Estuvo diez años en el pastorado y más de veinte en un ministerio itinerante, en el cual viajó a más de cuarenta naciones. Cada año diserta en más de ciento cincuenta auditorios, volcando su corazón a muchos miles de personas.

El ministerio televisivo «GodChasers» se ve en más de ciento veinte naciones en muchos canales diferentes. Su ministerio en la Web, www.godchasers.net, recibe un promedio de más de un millón de visitas al mes.

Tommy siente pasión por la presencia de Dios y la unidad del cuerpo de Cristo. A fin de ayudar a que otros persigan estas pasiones gemelas, ha fundado *GodChasers.network*, un ministerio misionero organizado para ayudar internacionalmente a los pastores y para distribuir las enseñanzas de Tommy a través de diversos medios.

Tres generaciones de ministros en su herencia familiar le han dado a Tommy una rica perspectiva. Tiene el don de guiar a la gente hambrienta a la presencia de Dios. Él y su esposa, Jeannie, comprenden el valor de la intimidad con Dios y de la humildad en el servicio a su pueblo.

Los Tenney residen en Luisiana con sus tres hijas y sus dos perros yorkshires.

Notas

Capítulo 1

1. Datos de la Internet: *www.royalty.nu/Europe/England/Windsor/Diana.html*; accedido el 24 de febrero de 2003.
2. Ester 1:10-12, énfasis añadido.
3. Véase Ester 1:19.
4. Ester 7:8, LBD, énfasis añadido.
5. Véase, por ejemplo, Efesios 5:25-27.
6. Quizá parte de la importancia del libro de Ester es el grado de resistencia que se presenta a su mensaje. Es uno de los libros más malinterpretados y descuidados de la Biblia. Los grandes de antaño en la historia humana y de la iglesia lo han detestado. Incluso Martín Lutero, el célebre reformador de la iglesia protestante, hizo todo lo que posible para quitar a Ester del canon protestante (los libros de la Biblia con aceptación y aprobación oficial). De acuerdo con lo que dice la doctora Karen H. Jobes, la renombrada especialista en textos bíblicos, en *The NIV Application Commentary: Esther* (Zondervan, Grand Rapids, MI, 1999, p. 21): «Martín Lutero denunció este libro junto con el apócrifo 2 Macabeos y dijo: "Soy un enemigo tan grande del segundo libro de Macabeos y de Ester, que desearía que nunca hubieran llegado a nosotros, ya que tienen muchas cosas paganas y poco naturales"» [citando a Martín Lutero, *The Table Talk of Martin Luther,* William Hazlitt, trad., United Lutheran Publication House, Filadelfia, sin fecha, p. 13].
7. Jobes, p. 45; citando a Robert Gordis, *Megillat Esther,* Ktav, Nueva York, 1974, pp. 13-14, énfasis añadido.
8. Joyce G. Baldwin, *Esther: An Introduction & Commentary* [Tyndale Old Testament Commentaries, D.J. Wiseman, ed. gen.], InterVarsity Press, Downers Grove, IL, 1984, p. 66.

    El autor escribe: «De acuerdo con Josefo, fueron cuatrocientas, pero según Paton, si se estima una muchacha diferente por noche durante cuatro años (p. 16; cf. 1:3), llega a la conclusión de que eran mil cuatrocientas sesenta».

9. Jobes, p. 96, citando la *meguilá* 15a (el rollo de Ester).
10. *Ibíd.*, 94; citando a Loeb Classical Library, Heródoto, p. 3.8.
11. *Ibíd.*, citando a Plutarco, quien informó que «a pesar de lo que decía la ley, otros reyes persas a veces se casaban con mujeres de las que se habían enamorado con pasión» (Loeb Classical Library, *Plutarch's Lives,* Artazerxes 23.3).
12. Véase Ester 2:12.
13. Véase Mateo 1:5-6.
    Ambas parejas fueron antecesoras de David, que a su vez fue el antecesor de José y un tipo y sombra espiritual de Jesucristo, «el hijo de David».
14. Jobes, p. 61, citando a Heródoto 17.66.
15. Ester 2:2-4, énfasis añadido.
16. Ester 2:12, énfasis añadido.
17. Eclesiastés 10:1a.
18. Belcebú es el término común para denominar a Lucifer. La traducción literal es «señor de las moscas o dios de estiércol» (*Strong's Greek Concordance*, 954).
19. Jobes señala que las especias y aceites aromáticos ocupaban un lugar importante en el mercado de exportación persa, y cita los hallazgos de un arqueólogo de renombre mundial para ilustrar la forma en que quizá se usaran las especias para preparar a Ester para su noche crucial con el rey: «W.E. Albright sostiene que los quemadores de esencias en forma de cubo descubiertos en excavaciones en el antiguo yacimiento de Lachish en Israel, no se usaban para quemar incienso en rituales religiosos, como se pensaba en un principio, sino que eran quemadores cosméticos que usaban las mujeres a fin de preparar su piel y vestidos con el aroma de aceites de rosas, aceite de clavo de olor y esencia de almizcle (esencias que todavía son populares entre los fabricantes de perfumes hoy en día). Albright propone que las mujeres usaban estos artefactos cosméticos en forma amplia en todo el mundo antiguo, ya sea por higiene como por su valor terapéutico. El aceite fragante se vertía en el quemador cosmético y se calentaba en el fuego. La mujer perfumaba su piel y sus vestidos agachándose desnuda sobre el quemador con una toga que cubría su cuerpo como una carpa. Albright cita este pasaje de Ester como un ejemplo bíblico de este proceso» (p. 110, citanto a William Foxwell Albright, «The Lachish Cosmetic Burner and Esther 2:12», reimpreso en *Studies in the Book of Esther,* Carey A. Moore, ed. [Ktav, Nueva York, 1982], pp. 361-368).
20. Véase Mateo 2:1-11.
21. Véase Lucas 7:36-37.
22. Véase Mateo 26:6-13.
    (Marcos 14:3 registra el mismo incidente, pero le llama a la mezcla «perfume muy costoso, hecho de nardo puro», que era alguna especie de aromático).

23. Véase Marcos 15:23, 34.

24. Véase Juan 19:39.

25. Es evidente que en la mirra hay más poder de lo que nadie, excepto Dios, se percató. Investigadores de la Universidad de Rutgers descubrieron que la mirra contiene «furanosesquiterpenoide», un compuesto que es muy tóxico para las células cancerígenas. Al parecer, desactiva una proteína de las células cancerígenas que resiste la quimioterapia. En estudios de laboratorio, resultó ser eficaz contra la leucemia y el cáncer de mama, próstata, ovario y pulmón. («Discovery Finds Myrrh Kills Cancer» [Se descubre que la mirra mata el cáncer], Gannett News Service, que aparece en *The Des Moines Register*, lunes 17 de diciembre de 2001).

Capítulo 2

1. Definición de «pórfido» tomada del *Holman Bible Dictionary* (Nashville: Holman Bible Publishers, 1991). Accedido mediante el programa *The QuickVerse Library*, de Parsons Technology, Inc., One Parsons Drive, PO Box 100, Hiawatha, IA 52233-0100.

2. Ester 1:5-7, énfasis añadido.

3. Véase Proverbios 18:16.

4. Véase 1 Reyes 11:1-3.

5. Véanse Hechos 10:34 y Juan 4:23-24, LBD, respectivamente.

6. Juan 3:16, énfasis añadido.

7. Isaías 45:15, LBD, énfasis añadido.

8. 2 Timoteo 2:15, RV-60.

9. Jobes, p. 21: «En la narrativa hebrea, los personajes se revelan a menudo solo mediante la acción y el discurso, y se deja que el lector saque conclusiones sobre los motivos y las intenciones. Fiel al estilo de la narrativa hebrea, en el libro de Ester los sucesos externos y observables se mencionan sin explicaciones o comentarios».

10. *Ibíd.*, p. 28, resumen de las descripciones y escritos de Heródoto en *Loeb Classical Library*, A.D. Godley, trad., G.P. Putnam's Sons, Nueva York, 1922.

11. Charles R. Swindoll: *Esther: A Woman of Strength and Dignity*, Word, Nashville, TN, 1997, pp. 43-44.

12. *Ibíd.*, p. 45.

13. Parece extraño oír que al rey persa Darío se le llame un «vaso escogido por Dios», pero es verdad. Es más, Dios usó a tres miembros de la dinastía Aqueménida para cumplir su voluntad. Ciro el Grande cumplió la profecía bíblica cuando conquistó el Imperio Babilónico que capturó a Jerusalén y destruyó el templo (véanse 2 Crónicas 36:22-23; Esdras 1:1-4; Isaías 44:28—45:15).

El padre de Asuero, Darío, proveyó los fondos para reconstruir el templo en Jerusalén y cooperó con Zorobabel y el gran sacerdote, Jesúa (Esdras 6:8-9). Asuero fue un instrumento para preservar y elevar a los judíos por medio de la intervención de Ester, en el libro que lleva su nombre.

Capítulo 3

1. *Merriam-Webster's Collegiate Dictionary, Tenth Edition*, Merriam-Webster, Incorporated, Springfield, MA, 1994, p. 939.
2. Isaías 14:13.
3. Marcos 6:4b.
4. A.S. Van Der Woude, ed. gen.: *The World of the Bible: Bible Handbook, Volume 1*, Eerdmands, Grand Rapids, MI, 1986, p. 321.
   Los editores observan que Artabán asesinó al rey Jerjes en sus aposentos en el año 465 a. C., a quien le sucedió su hijo, Artajerjes I.
5. En latín: «persona inadmisible».
6. «Aristotle on Persian Court Life», un artículo basado en la traducción de «*On the Cosmos, to Alexander*», de Aristóteles (398a11-398b1), D.J. Furley, trad. Tomado de *Il trattato «Sul cosmo per Alessandro» attribuito ad Aristotele. Monografia introduttiva, testo greco con traduzione a fronte, commentario, bibliografia ragionata e indici*, de Giovanni Reale y Abraham P. Bos, (Milán, 1995). Accedido a través de la Internet: www.livius.org/aj-al/alexander/alexander_t38.html, el 4 de marzo de 2003.
7. Un estadio era una medida griega de distancia que abarcaba entre 607 a 738 pies [180 a 240 metros], de acuerdo al diccionario *Merriam-Webster's Collegiate Dictionary*, p. 1143, definiciones de «stade» y «stadium».
8. J.M. Cook: *The Persian Empire*, J.M. Dent & Sons Ltd., Londres, 1983, p. 143. El autor dice que tal vez la gente se refería a este oficial como el *azarapates* o lo llamaban con el viejo término persa *hazarapatis* («comandante de mil»). Los historiadores griegos se refieren a este oficial con el uso de un término griego, *chiliarh,* con el mismo significado.
9. Adaptado de Efesios 4:21-24, LBD: «Si de veras han escuchado la voz del Señor y han aprendido de Él las verdades sobre sí mismo, arrojen de ustedes su vieja naturaleza tan corrompida y tan llena de malos deseos. Renueven sus actitudes y pensamientos. Sí, vístanse de la nueva naturaleza. Sean diferentes, santos y buenos».
10. Ester 1:4-7, énfasis añadido.
11. Véase Salmo 100:4.
12. Aunque no es mi intención desarrollar una enseñanza detallada de las diferencias teológicas o académicas específicas entre la alabanza y la adoración bíblica, explicaré brevemente el fundamento de mis comentarios sobre las

mismas en este libro. Comenzamos con estos pasajes de la versión Reina Valera-60: Salmo 138:1-2: «Te alabaré con todo mi corazón; delante de los dioses te cantaré salmos. Me postraré hacia tu santo templo». Salmo 100:4: «Entrad por sus puertas con acción de gracias, por sus atrios con alabanza». La *alabanza* (*yadah* en hebreo) implica extender las manos con reverencia y adoración confesando que Dios merece adoración. *Cantar alabanzas* (*zamar* en hebreo) se refiere a tocar instrumentos acompañando con la voz, con celebración y canto. La adoración *(shajah* en hebreo) se refiere a postrarse de cuclillas o inclinarse con profundo respeto, sumisión y entrega en homenaje a Dios o a la realeza.

13. Apocalipsis 4:8-11, LBD, énfasis añadido.
14. James Strong, *Nueva Concordancia Exhaustiva de la Biblia*, Editorial Caribe, Inc., una división de Thomas Nelson, Inc., Nashville, TN–Miami, FL, EE.UU., 2002, griego #4352, de #4314 y #2965; *proskunéo* o «adoración».
15. Marcos 10:15.
16. Véase Apocalipsis 3:21.
17. Los quemadores de incienso resaltan con claridad en un bajorrelieve que se encontró en la ciudad real de Persépolis, en el que se encuentra Darío I dando una audiencia. También se ve al príncipe heredero Jerjes, o Asuero, parado detrás del trono, y a un guardia con un hacha parado detrás de él. También aparece una reproducción contemporánea de este bajorrelieve y un texto explicativo en «The Persian Impery», *Children's Encyclopedia of History: First Civilisations to the Fall of Rome*, Usborne Publishing, Ltd., Londres, 1985, p. 66.
18. *Ibíd*. Véase también Jobes, quien apunta: «La evidencia arqueológica muestra que el temor [de Ester] no era injustificado. Se encontraron en excavaciones dos bajorrelieves de Persépolis que muestran al rey persa sentado en el trono con un largo cetro en la mano derecha. Un miembro del séquito que está parado detrás del trono es un soldado medo que sostiene una gran hacha». El autor cita como fuente a Edwin M. Yamauchi, *Persia and the Bible*, Baker Book House, Grand Rapids, MI, 1990, p. 360.
19. Marcos 5:24b-25, énfasis añadido.
20. Marcos 5:27, 29, énfasis añadido.
21. Jobes, p. 78, citando a *Loeb Classical Library: Herodotus*, 1.99; 3.77, 84.
22. Cook, p. 146.
23. Romanos 3:23, énfasis añadido.
24. Levítico 16:12-13, TLA, énfasis añadido.
25. Véase Juan 21:20-24.
26. Lucas 7:44-47, énfasis añadido.

27. Véanse Mateo 26:6-13; Marcos 14:3-9; Juan 12:1-8.
28. Véase Juan 20.
29. Salmo 25:14a.
30. Lucas 7:37-39, énfasis añadido.
31. Véase Juan 4:4-42.

Capítulo 4

1. Pablo le dijo a Timoteo: «Así que recomiendo, ante todo, que se hagan plegarias, oraciones, súplicas y acciones de gracias por todos, especialmente por los gobernantes y por todas las autoridades, para que tengamos paz y tranquilidad, y llevemos una vida piadosa y digna» (1 Timoteo 2:1-2). Cabe destacar que, incluso en esta declaración clásica, las «acciones de gracias» aparecen como un «factor de saturación», algo que debe hacerse a lo largo del proceso de oración. Algunos momentos parecen ser mejores que otros en lo que concierne a la oración: «Por esto orará a ti todo santo *en el tiempo en que puedas ser hallado*» (Salmo 32:6, RV-60, énfasis añadido).
2. Véanse las palabras de Jesús en Juan 3:16.
3. 1 Corintios 12:31, énfasis añadido.
4. Véase Mateo 6:8.
   En este pasaje Jesús compara las repeticiones mecánicas y colectivas que usaban para orar los que no conocían a Dios con las oraciones de un hijo de Dios. Luego, Jesús les enseña a los discípulos a orar lo que se conoce como «el padre nuestro», a modo de modelo de lo que es una oración íntima de los hijos hacia el Padre: «Padre nuestro...»
5. En este pasaje inolvidable del libro de Romanos, Dios revela la verdad sobre la *oración mediante la relación*: «No debemos actuar como esclavos serviles y cobardes, sino como verdaderos hijos de Dios, como miembros adoptivos de su familia que pueden llamarlo: "Padre, Padre". Porque el Espíritu Santo nos habla a lo más profundo del alma y nos asegura que somos hijos de Dios» (Romanos 8:15-16, LBD).
6. Ester 2:21-23, LBD, énfasis añadido.
7. Véase Números 14:11-20.
8. Véase 2 Corintios 3:7.
9. Véase Éxodo 33:18-20.
10. Véase Mateo 17:1-3.
11. Véanse Mateo 14:23; 26:36; Juan 5:19-23, 30, 36; 8:16, 28-29, 38; 10:32; 14:31; 15:15. (¡Y esta es solo una lista parcial!).
12. Tommy Tenney, *Desde la perspectiva de Dios*, Editorial Caribe-Betania Editores, Nashville, TN, 2002, p. 75 (del original en inglés).
13. *Ibíd.*, p. 76 (del original en inglés).

14. El historiador judío Josefo registra una carta escrita por el rey Jerjes al sacerdote Esdras, en la que permitía a los judíos que estaban en el imperio persa regresar a Jerusalén si lo deseaban. En la copia de la carta que se incluye en los escritos de Josefo, Jerjes también asignó fondos de su tesoro para «construir todos los vasos de plata y de oro que les plazcan» para el templo (Josefo, *Antiquities of the Jews,* Libro XI, capítulo 5, párrafo 1b). El siguiente párrafo indica que esto sucedió en el séptimo año del reinado de Jerjes y que los regalos del rey y el dinero que les permitió confiscar de sus antiguos captores babilónicos llegaban a seiscientos cincuenta talentos de plata, vasos de oro equivalentes a veinte talentos y vasos de una aleación muy apreciada de oro, bronce o cobre llamada *aurichalcum,* equivalentes en peso a doce talentos (*Ibíd.,* párrafo 2b). *Nota del Autor:* Josefo ubicó la escritura de esta carta que favorecía a los judíos en el *séptimo año* del reinado de Jerjes, el mismo año, según la Biblia, en el que el rey eligió a Ester y se casó con ella. Esto sucedió *antes* del ascenso de Amán como primer ministro en el *duodécimo* año del reinado de Jerjes, o Asuero (Ester 2—3), año en el que le concedió la petición a Amán y dictó un decreto de muerte obviamente antisemita contra los judíos.

Capítulo 5

1. Entiéndase que me valgo de una licencia poética cuando me refiero a Ester como una «campesina». Es probable que Mardoqueo fuera bastante rico y, según fuentes históricas (como la de Josefo), se supone que era una figura destacada en la comunidad judía en Babilonia y luego en Susa. Esto significa que, en realidad, es probable que Ester se vistiera bien y fuera muy versada en todos los detalles concernientes a un atuendo y un comportamiento adecuados. Sin embargo, *aun así* no estaba preparada para la vida en el palacio del rey Asuero. Lo que quiero decir es que por más sofisticados y adinerados que seamos, y por más bien vestidos que estemos en esta vida, de ninguna manera estamos preparados para entrar en la presencia de nuestro santo Dios sin la ayuda sobrenatural del Espíritu Santo.

2. Véase Ester 2:8.

3. De manera simultánea con este libro, escribo, en forma de novela, un apasionante relato de la vida de Ester llevado a la ficción titulado: *Jadasá: Una noche con el rey,* que publicará Editorial Unilit.

4. Puede que en un principio esto haya ayudado a ocultar las raíces judías de Jadasá. De cualquier manera, la historia la conocerá siempre como Ester. («Jadasá» se deriva de la palabra hebrea para «mirto» y «Ester» se deriva de la palabra persa «estrella», o quizá de *Istar,* la diosa mesopotámica de la fertilidad y la guerra). Aunque parezca mentira, algunos de los hebreos cautivos en

Babilonia, incluyendo a Daniel y compañía, pedían una alimentación especial que se les concedía si aceptaban que se les cambiara el nombre.

5. Ester 2:7.

6. Saqué mi conclusión de definiciones de las palabras originales hebreas extraídas de *Strong*: «*hermoso* o bello, hebreo #3303, *yafé*; del hebreo #3302 *yafá*: *brillante*, i.e. (por impl.) *hermoso*: engalanar, hacer, hermoso, adornar; [y] *tob*, del hebreo #895, *ser* (trans. *hacer*) *bueno* (o *bien*) en el sentido más amplio: agradable, agradar, alegre, alivio, bien, bienhechor, hacer, mejor, parecer, placer; del hebreo #896 *bueno* (como adj.) en sentido más amplio; usado igualmente como sustantivo, tanto en masc. como en fem., en sing. y plur. (*bueno, cosa buena, bien*, hombre *bueno*, mujer *buena;* el *bien,* cosas *buenas, bienes,* hombres o mujeres *buenas*), también como adv. (*bien*): parecer, placer, prosperidad, rebosar, suave, tesoro, éxito, favor, feliz, fértil, fino, gozar, gozoso, gusto, hermoso, humanamente, mejor, misericordioso, abundancia, acepto, acertado, agradable, agradar, alegrar, alegre, alegría, amigablemente, benéfica, beneficio, benevolencia, benigno, bien, bienestar, bondad, bueno, contento, cosa, dichoso [favorecido]».

7. C.F. Keil, de los comentarios de Keil y Delitzsch, nos ayuda a entender que estas palabras [de Ester 2:12 sobre el aceite, la mirra, las especias y los cosméticos] quieren decir «frotar, pulir; significa purificación y embellecimiento con todo tipo de ungüentos preciosos». De Swindoll, *Esther: A Woman of Strength and Dignity*, p. 35, citando a C.F. Kiel, *Commentary on the Old Testament in Ten Volumes, Vol. III*, William B. Eerdmans, Grand Rapids, MI, 1966, p. 334.

8. Esdras 6:9-10, énfasis añadido.

9. «Nosotros "subimos a un pedestal" a las personas a quien Dios ha ungido. Pero, ¿a quién tiene Dios en memoria? Jesús dice que lo que hizo María "... se contará dondequiera que se predique este evangelio, en todo el mundo... para memoria de ella" (Mateo 26:13 [RV-60]). Nosotros apreciamos a los ungidos: ¡Dios aprecia a los "ungidores"! Estas son personas que ven su rostro, derramadores de aceite a sus pies, lavadores con lágrimas, humildes amantes de Él, más que de sus cosas». (Extraído de *En la búsqueda de Dios*, de Tommy Tenney, Editorial Unilit, Miami, FL, 1999, pp. 169-170).

10. *En la búsqueda de Dios*, p. 64.

11. Nota de la traductora: En inglés, esta expresión es literalmente «dama en espera».

12. Véase Juan 4:23-24.

13. Salmo 42:1-2, RV-60.

14. *En la búsqueda de Dios*, pp. 63-64.

15. Le voy a aclarar esta idea al lector: Debería darse por sentado y entenderse que la sangre de Jesucristo y su obra consumada en la cruz son las que nos acreditan y las que crucifican a la carne humana. Si se rechazan, no habrá cantidad de alabanza ni adoración proveniente de una carne que no está arrepentida ni redimida que pueda hacer aptos a los hombres para la presencia de Dios. *Sin embargo*, hasta los creyentes redimidos, comprados por sangre, a veces presentan ofrendas inaceptables para Dios. La alabanza y la adoración tienen el poder de elevarnos por encima de nuestro *ego*, nuestro egoísmo y egocentrismo, a una esfera mayor en la que nos centramos en Dios y nos parecemos a Cristo. Los tipos y sombras del Antiguo Testamento nos ayudan a comprender la función de la alabanza y la adoración en la purificación de la iglesia y en la perfección continua de los santos.

16. Ester 2:1, LBD, énfasis añadido.

Capítulo 6

1. Véase Hechos 10:34-35, RV-60.
2. Ester 2:15, énfasis añadido.
3. *Strong*, «eunuco», hebreo #5631, *saris*; de una raíz que no se usa que significa *castrar; eunuco;* por impl. *ayuda de cámara* (espec. de los apartamentos de mujeres), así, *ministro* de estado: eunuco, oficial, palacio». (Hechos 12:20 subraya la gran importancia del *camarero* o chambelán de Herodes Agripa en la era del Nuevo Testamento. La gente de Tiro y Sidón le pidió al *camarero del rey*, Blasto, que actuara de mediador a favor de ellos frente a Herodes).
4. *Ibíd.*, «guardián», hebreo #8104, *shamár*.
5. Ester 2:8-9, énfasis añadido.
6. Ester 2:9, RV-60.
7. Swindoll, *Esther: A Woman of Strength and Dignity*, p. 45, énfasis añadido.
8. Ester 2:20, énfasis añadido.
9. Jobes, 96, citando la Meguilá 15a.
10. Ester 2:12-13, 15, LBD, énfasis añadido.
11. Santiago 1:22.
12. Según el diccionario *Merriam- Webster's Collegiate Dictionary* (699), el uso del *término común* «Estrella de David» o *Maguén David* (el escudo de David) apareció por primera vez en 1904.

    Un artículo detallado en *The Jewish Encyclopedia*, titulado «Maguén David», por Joseph Jacobs y Ludwig Blau, apunta el descubrimiento de una Estrella de David (o *Maguén David*, «escudo de David») que se remonta al tercer siglo, en una lápida que se encontró en Tarento, Italia. [Véase *http://jewishencyclopedia.com/view_page.jsp?artid=38&letter=M&search=magen_dawid.* Accedido el 10 de julio de 2002]. He hecho alusión a la terminología moderna de este símbolo a fin de que nos ayude a entender y subrayar la manera en que Dios hizo que Ester, la doncella judía, sobresaliera entre el resto de las candidatas nupciales en la corte persa, no porque haya *hecho* más, sino porque *era* más. Era un vaso escogido por Dios y su unción sobre ella la separó de las demás y cautivó el corazón de Asuero.

13. Geoffrey Wigoder, ed. gen., *Illustrated Dictionary & Concordance of the Bible*, The Reader's Digest Association, Inc., Jerusalén, con permiso de The Jerusalem Publishing House Ltd., 1986, pp. 322-323.

14. Véanse Mateo 14:17-21; 15:34-39.

15. Efesios 4:11-13, énfasis añadido.

16. Isaías 64:6-7a, RV-60, énfasis añadido.

17. Véase Mateo 6:8.

Capítulo 7

1. Isaías 61:3, RV-60.

2. Lucas 1:28, RV-60.

3. Gálatas 4:19, LBD, énfasis añadido.

4. Ester 4:14.

5. Ester 2:19-23, TLA, énfasis y explicaciones añadidos.

6. El rey Jerjes, o Asuero, guió a un gran ejército en una campaña naval contra Grecia en el año 480 a. C. Su marina de guerra tuvo una victoria decisiva en Artemision, y su ejército venció a la fuerza espartana que intentaba retener el paso de las Termópilas. Luego entró a Atenas y destruyó los templos atenienses. Sin embargo, las cosas no salieron bien en la bahía de Salamina, donde el rey Jerjes vio desde un punto de observación cómo se destruía entre un tercio y la mitad de su ejército naval (29 de septiembre de 480 a. C.). Sin la marina de guerra, no podía sostener un ejército tan grande, entonces tomó parte del ejército para conquistar más territorios en Asia Menor (incluyendo Tesalónica) y sofocar rebeliones en Babilonia y Egipto. *Esto puede explicar el tiempo que pasó entre la buena obra de Mardoqueo que le salvó la vida al rey y el repentino ascenso de Amán.* Es posible que las acciones de Amán durante este largo período de lucha lo ayudaran a ascender a la cima de la sociedad persa. También puede explicar por qué Ester no estaba segura de contar con el favor del rey, que quizá estuviera lidiando con los punzantes sentimientos de derrota en las guerras del momento. (Extrapolado de información de la Biblia y de notas históricas que se encuentran en el artículo «Herodotus' Histories, the Twenty-Fourth Logos: Salamis», accedido vía Internet en *www.livius.org/ he-hg/herodotus/logos8_24.html,* el 18 de octubre de 2002).

7. Según Heródoto, libro III (30, 61-88), y la inscripción de Behistún del mismo Darío, él participó en la «conspiración de los siete persas» y colaboró para

derrocar el gobierno de siete meses de los magos sacerdotes (o sacerdotes paganos) que tomaron control del imperio después de la muerte del rey Cambises II. Darío se las arregló para convertirse en rey, y otro príncipe persa vino a ensanchar el círculo de los siete príncipes del consejo real que estaban cerca del rey y ejercían un gran poder. Se les permitía acercarse al rey de forma espontánea, en cualquier lugar, excepto en sus aposentos cuando estaba con una mujer. Según señalamos brevemente (en el capítulo 3), bajo el gobierno de Darío surgió una *nueva posición oficial*; el que la ocupaba tenía *incluso más poder y autoridad* frente al rey que los siete príncipes. Este «primer ministro» o «señor de las audiencias», por lo general se ganaba esta posición mediante grandes hazañas militares o algún servicio personal extraordinario al rey. Al parecer, esto explica cómo fue posible que gente que no era de Persia, como Amán y Mardoqueo, pudieran pasar sobre el poder y el prestigio de los siete príncipes del consejo real, a fin de llegar a ocupar el segundo lugar en el Imperio Persa, luego del rey. (Extrapolado de información encontrada en J.M. Cook, *The Persian Empire*, Schocken Books, Londres, mediante un acuerdo con J.M. Dent & Sons, Ltd., 1983, pp. 18, 143-44).

8. Ester 3:1-2, LBD, énfasis añadido.
9. Lucas 2:52.
10. Deuteronomio 8:18, LBD, énfasis añadido.
11. Lucas 9:23-24, LBD, énfasis añadido.
12. Swindoll, pp. 148-49, énfasis añadido.
13. Ester 4:13-14, énfasis añadido.
14. Ester 4:15-16, énfasis añadido.

Capítulo 8

1. Véase Ester 4:1-3.
2. Ester 3:1-2, LBD, énfasis y aclaraciones añadidos.
3. 1 Juan 4:4.
4. Es casi seguro, sin embargo, que Mardoqueo tuviera que hacer una reverencia ante el rey Asuero cuando este pasaba por su lugar de servicio en la puerta del rey, o de lo contrario, moría al instante. La historia registra que otros líderes judíos hacían una reverencia delante de gobernantes extranjeros solo por una cuestión protocolar (Jobes, p. 119), así como los estadounidenses hacen una reverencia delante de la reina de Inglaterra por cortesía y respeto.
5. La aparición más reveladora del nombre «Agag» se puede rastrear en las Escrituras hasta Saúl y Moisés (y quizá hasta Esaú). De acuerdo a Adele Berlin, comentarista del *The JPS Bible Commentary: Esther* ([The Jewish Publication Society, Filadelfia, 2001], p. 34): «La conexión amalecita [de Amán con el rey amalecita *Agag*] se refuerza en el ciclo educativo de la sinagoga de acuerdo

al cual, en el Sabat antes del Purim, se leen los pasajes de Deuteronomio 25:17-19 («Recuerda lo que te hicieron los amalecitas [...] borrarás para siempre el recuerdo de los descendientes de Amalec») y el *Haftará* de 1 Samuel 15 (que contiene la historia de Saúl y Agag)». La comentarista añade: «Ambos Tárgumes reflejan el origen agagueo de Amán en los textos masoréticos, y van más allá al extender la genealogía de Amán hasta Esaú, haciéndose eco de Génesis 36:12.

De este modo, extienden la rivalidad entre Mardoqueo y Amán hasta mucho antes en la historia, hasta Esaú y Jacob».

6. 1 Samuel 15:9, 13-14, 22, LBD, énfasis añadido.

7. 1 Samuel 15:32-33, LBD, énfasis y explicaciones añadidos.

8. Como se trata de un espíritu maligno, el espíritu de Amán, que opera por medio de los seres humanos en lugar de hacerlo solo mediante una línea familiar, no importa si Agag engendrara un hijo que sobreviviera hasta los días de Ester. Ya sea que Amán descendiera de otros amalecitas que sobrevivieran, o que su espíritu solo operara por medio de él sin ninguna conexión física literal, los resultados fueron asimismo mortales y las características de un antisemitismo descontrolado fueron también dominantes.

9. Véanse 1 Samuel 30 y 2 Samuel 1.

10. Al rey Saúl lo hirieron arqueros filisteos, pero también hay evidencia de que intentó suicidarse con su propia espada, pero falló. El soldado amalecita fue el que terminó la tarea y le contó los detalles a David, el cual lo mandó a matar por levantarle la mano a Saúl, el ungido del Señor. El relato de 1 Samuel 31:4-5 solo dice que el escudero vio o creyó que Saúl estaba muerto; no dice que Saúl *murió* al caer sobre su espada. En 1 Crónicas 10:1-5 se dice de forma específica que el escudero murió, pero *no* dice lo mismo acerca de Saúl después que cayó sobre su espada. Esto explica lo que *al parecer* es una contradicción entre el informe de primera mano del amalecita en 2 Samuel 1 y los relatos de terceros en 1 Samuel y 1 Crónicas.

11. 2 Samuel 1:9, RV-60.

12. Ester 3:2, énfasis añadido.

13. Ester 3:7-8.

14. Proverbios 16:33, LBD, énfasis añadido.

15. Job 1:21.

16. Jobes, p. 122.

17. 1 Corintios 2:7-8, LBD, énfasis y explicaciones añadidos.

18. Véase Ester 3:15.

19. Jobes, p. 42.

20. Ester 4:11, LBD.

21. Ester 4:13-14, LBD, énfasis añadido.

22. La posición de Ester se tornó más peligrosa por la tradición de los poderosos reyes de Persia de tomar decisiones cruciales (e irrevocables) mientras estaban descontroladamente ebrios. Karen Jobes apunta: «Dentro de nuestra cultura moderna, pensamos que tomar alcohol es una costumbre social que a menudo tiene connotaciones negativas. Sin embargo, el historiador griego Heródoto explica el hecho interesante de que los persas bebían mientras deliberaban sobre cuestiones de estado (cf. Ester 3:15): "Es más, es su costumbre [de los persas"] deliberar sobre los asuntos de mayor gravedad mientras están borrachos; y el dueño de la casa donde deliberan les propone al día siguiente, cuando están sobrios, lo que aprobaron en sus consejos, y si estando sobrios todavía lo aprueban, actúan de acuerdo a lo acordado, pero si no lo desechan. Y cuando el consejo resuelve algún asunto estando sobrios, deciden qué hacer al respecto mientras están ebrios». [*Herodotus* 1.133]. Esta costumbre quizá nos parezca extraña, pero *los antiguos creían que el estado de ebriedad los ponía en contacto cercano con el mundo espiritual»* (Jobes, pp. 67-68, énfasis añadido).

23. *Ibíd.*, p. 69, citando a *Herodotus*, 7.35.

24. Jona Lendering, «Summary of and Commentary on Herodotus' Histories», libro 8, del artículo titulado «Herodotus' Histories, the Twenty-Fourth Logos: Salamis», accedido vía Internet en *www.livius.org/he-hg/herodotus/logos8_24html*, el 18 de octubre de 2002.
    Véase también en Notas, la nota 6 del capítulo 7.

25. Ester 4:15-16, énfasis añadido.

26. Véase 1 Samuel 17:38-40.

27. Ester 5:1-2, LBD, énfasis añadido.

28. Tommy Tenney, *Los captores de Dios*, Editorial Caribe-Betania Editores, Nashville, TN, 2000, pp. 188-89 (del original en inglés).

29. Hebreos 4:16, LBD.

Capítulo 9

1. Ester 5:2-3, LBD.

2. La versión *Reina Valera Revisada (1960)* dice que la reina Ester «obtuvo gracia ante sus ojos» y la *Nueva Versión Internacional de la Biblia* dice que el rey Asuero «se mostró complacido» con Ester.

3. Ester 5:4-5, énfasis añadido.

4. 2 Corintios 10:4, RV-60.

5. Ester 5:4, LBD, énfasis añadido.

6. Hay una descripción detallada del jardín real en Ester 1:5-7 (LBD): «Cuando terminó, el rey dio una fiesta especial para los funcionarios y sirvientes del palacio, fiesta que duró siete días y que se celebró en los jardines del palacio. Los

ornamentos eran verdes, blancos y azules, y estaban atados con cuerdas de lino y púrpura que pasaban por anillos de plata y columnas de mármol. Los reclinatorios eran de oro y plata y estaban sobre un enlozado de pórfido, mármol, alabastro y jacinto. Las bebidas se servían en vasos de oro de diversos diseños, y había gran abundancia de vino real, porque el rey se sentía muy generoso».

7. El esplendor de los palacios de Saddam Hussein, revelado durante la guerra iraquí cerca de esta región geográfica, palidece en comparación con la manera en que vivían los antiguos reyes de Persia.

8. Véase Mateo 6:28-30.

9. «Sé que muchas veces hablamos de tener una visión a vuelo de pájaro, ¿pero no preferirías tener una visión según Dios de las cosas que te preocupan? ¡Si te levantas en adoración, tu perspectiva cambia!» (Tommy Tenney, *Desde la perspectiva de Dios*, Editorial Caribe-Betania Editores, Nashville, TN, 2002, p. 112 [del original en inglés]).

10. 1 Juan 4:4, RV-60.

11. Ester 5:5-6, LBD, énfasis añadido.

12. Salmo 23:5, énfasis añadido.

Capítulo 10

1. Ester 6:1, TLA, énfasis añadido.

2. Matero 7:7.

3. Véase 1 Juan 5:14-15.

4. Ester 6:1, TLA.

5. Lucas 13:34b, LBD.

6. Salmo 121:4, LBD.

7. Jesús dijo en Mateo 18:12-14, LBD: «Si un hombre tiene cien ovejas y una se le extravía, ¿qué hará? ¿No deja las noventa y nueve sanas y salvas y se va a las montañas a buscar la perdida? Ah, ¡y si la encuentra se regocija más por aquélla que por las noventa y nueve que dejó en el corral! Asimismo, mi Padre no quiere que ninguno de estos pequeños se pierda».

8. Véase Génesis 2:2.

9. Véase Salmo 121:4.

10. Véase Juan 4:18.

11. Véase Juan 4:15.

12. Véase Juan 4:16.

13. Véase Juan 4:17.

14. Juan 4:23, RV-60.

15. Mi paráfrasis común de Juan 4:25-26.

16. Juan 4:32.

17. Véase Juan 4:39.

18. Ester 5:9-13, LBD, énfasis añadido.

19. Ester 5:14, LBD, énfasis añadido.

20. Ester 6:1-3, LBD, énfasis añadido.

21. Ester 6:2-3, LBD.

22. Hebreos 6:10, LBD.

23. Ester 6:4-9, LBD, énfasis añadido.

24. Ester 6:10, LBD, énfasis añadido.

Capítulo 11

1. Ester 5:6-8, LBD, énfasis añadido.

2. Lucas 15:31, LBD, énfasis añadido.

3. Mateo 6:8, LBD.

4. 1 Corintios 2:9b.

5. Ester 6:10-12, LBD, énfasis añadido.

6. Ester 6:13-14, LBD, énfasis añadido.

7. Isaías 54:17.

Capítulo 12

1. Finis Jennings Dake, *Dake's Annotated Referente Bible*, Dake Publishing, Lawrenceville, GA, 1991.

   El Rvdo. Dake dijo del nombre de Dios en referencia a Ester 1:20: «Muchos han observado que el nombre de Dios no se encuentra en el libro de Ester [...] Sin embargo, en el antiguo texto hebreo hay cinco lugares en los que el nombre de Dios estaba escondido, abreviado JHVH para Jehová, cuatro veces, y EHYEH (Yo soy el que soy) una vez. Estas letras se usaban como acrósticos en ciertas afirmaciones y en tres de los manuscritos estaban escritos en letra mayor que el resto del texto a fin de que resaltaran de manera llamativa en el rollo». Dake apunta que los acrósticos aparecen en Ester 1:20 (*todas las mujeres darán...*); 5:4 (*vengan hoy el rey y Amán...*); 5:13 (*todo esto de nada me sirve...*); 7:7 *(que estaba resuelto para él el mal...*); y 7:5 (¿*Quién es, y dónde está...?*) [rv-60]. *Nota*: Un *acróstico* es un escrito en el que las letras iniciales o finales de las palabras tomadas en orden forman una palabra o frase.

2. Proverbios 16:33, LBD, dice: «Lanzamos la moneda al aire, pero el Señor es quien determina el resultado».

3. Proverbios 16:18.

4. Jeremías 29:11.

5. Ester 6:11, LBD, énfasis añadido.

6. Benin, *The JPS Bible Commentary: Esther*, p. 62.

7. *Ibíd.*, p. 63.

El comentarista añade esta nota completa sobre Ester 6:12, donde Amán regresa deprisa a su casa con la cabeza cubierta en señal de luto: «La palabra *luto* es algo extraña, y los rabinos, que no perdieron oportunidad para mancillar y humillar a Amán, contaron una historia midráshica maravillosamente burda para explicarlo (véase, por ejemplo, B. Meguilá 16a). Mientras Amán llevaba a Mardoqueo por las calles, su hija estaba en el techo de la casa y vio a los dos hombres, uno conduciendo al otro que iba sobre un caballo. Pensando que el hombre a caballo era su padre, conducido por Mardoqueo, tomó un orinal y lo arrojó sobre la cabeza del hombre que conducía el caballo. Él levantó la cabeza y ella vio que era su padre, luego de lo cual se cayó del techo y murió».

8. Ester 6:12-14, LBD, énfasis añadido.

9. Ester 7:1-6, énfasis añadido.

10. Véase Juan 10:10, LBD.

11. Hebreos 10:27.

12. Ester 7:7-8.

13. Ester 7:9, LBD.

14. Ester 7:10—8:2.

15. Véase Colosenses 2:14-15, RV-60.

16. Apocalipsis 20:10 (LBD) dice: «Entonces el diablo, el que los había vuelto a engañar, volvió a ser lanzado al lago de fuego y azufre en que estaban el monstruo y el falso profeta. Allí serán atormentados día y noche por los siglos de los siglos». (A esto le llamaría «un juicio seguro y certero»).

17. Swindoll, p. 140: «Hay evidencia en la literatura extrabíblica, y estoy pensando en particular en el historiador griego Heródoto, de que la propiedad de los criminales condenados volvía a manos de la corona. Por lo tanto, en este caso, era común que la propiedad de Amán, un criminal condenado, pasara a ser propiedad del rey. Sin embargo, al rey ni se le ocurre quedarse con ella. En lugar de esto, se la da a Ester, quien a su vez se la da a Mardoqueo, ya que ahora le cuenta al rey sobre su relación con él». [Véase Ester 8:2-3].

18. Efesios 4:8b.

19. Proverbios 13:22.

20. Véase Apocalipsis 19:11-14.

21. Ester 8:3-6, LBD.

22. Véase Ester 8:7-8.

23. Mateo 16:19.

24. Ester 9:1-2, LBD, énfasis añadido.

25. Ester 9:3, 5, LBD, énfasis añadido.

26. Ester 9:12-13, LBD, énfasis añadido.

27. Joel 2:25, LBD.
28. Filipenses 2:9-11, LBD, dice: «Por eso Dios lo exaltó hasta lo sumo y le dio el nombre que está por encima de cualquier nombre, para que al escuchar el nombre de Jesús no haya rodilla en el cielo, en la tierra ni en los abismos que no se doble, y para que toda lengua confiese que Jesucristo es Señor, para la gloria de Dios Padre».
29. Véanse Salmo 45:7; 97:10; Amós 5:15; y Hebreos 1:9.
30. Génesis 3:15.
31. Ester 9:14-16, LBD, énfasis añadido.
32. Véase Josué 10:12-14.
33. Efesios 4:26.
34. 2 Corintios 10:4-6, RV-60, énfasis añadido.
35. Ester 9:21-22, LBD.
36. Salmo 23:5, LBD, énfasis añadido.

Únete a la búsqueda

Hoy en día hay millones de buscadores de Dios alrededor del mundo que ayudan a encender el fuego en los corazones de la gente hambrienta de la presencia de Dios. Únete a la búsqueda conectándote a *GodChasers.network*.

Cuando te comuniques con nosotros, ¡te enviaremos nuestro boletín mensual GRATUITO! Te ayudará a mantenerte informado sobre los encuentros de «God Chaser» en el mundo, de los nuevos recursos que Tommy y Jeannie Tenney tienen para compartir contigo y del impacto que están causando los buscadores de Dios en nuestro mundo de hoy.

Inscríbete llamando o escribiendo a:

Tommy Tenney
GodChasers.network
Post Office Box 3355
Pineville, Louisiana 71361-3355
USA

318-44CHASE (318.442.4273)
o inscríbete en línea en www.GodChasers.net

———◆◇◆———

Visítanos en el sitio Web: www.godchasers.net para obtener más información tales como:

- Próximas actividades en tu área.
- Mensajes electrónicos mensuales con ofertas especiales de los productos de GodChasers.
- Una «dosis diaria» de porciones de la Escritura que te permitirán leer la Biblia en un año por correo electrónico.
- Cómo convertirte en un compañero de oración.
- Nuevos libros y otras publicaciones de Tommy Tenney.
- Devocionales diarios en línea de Tommy Tenney.
- ¡Y mucho más!

¡Corre con nosotros!

Conviértete en un buscador de Dios...
¡Asóciate con nosotros!

Los buscadores de Dios son personas cuya hambre de Él los impulsa a correr, no a caminar, hacia una relación más profunda y significativa con el Todopoderoso. Para ellos, no se trata de una simple búsqueda superficial. Los tradicionales domingos y miércoles no son suficientes; lo necesitan todos los días, en toda situación y circunstancia, en los tiempos buenos y en los tiempos malos. ¿Eres un buscador de Dios? ¿Crees que el cuerpo de Cristo necesita un avivamiento? Si el mensaje de un avivamiento personal, nacional e internacional resuena en tu espíritu, ¡quiero que consideres en oración la idea de correr con nosotros! Nuestros Compañeros de Avivamiento alimentan GodChasers.network para llevar el mensaje de unidad y la búsqueda de su presencia en todo el mundo. Los resultados son increíbles, aunque sin pretensiones. Como Compañero de Avivamiento, tu semilla mensual se convierte en el fósforo que usamos para encender los fuegos de avivamiento en todo el planeta. Existen varias maneras para asociarte con nosotros:

Compañero de avivamiento mensual: Si siembras una semilla de treinta dólares o más al mes, no solo plantas tu semilla en tierra fértil, sino que también ayudas a alcanzar a otros en todo el mundo con este mensaje. A medida que nos ayudes cada mes, deseamos sembrar en tu vida enviándote:

- una carta mensual para compañeros
- un casete de enseñanza mensual, y
- veinticinco por ciento de descuento en todo el material de GodChaser.

Compañero de oración: Si nos proporcionas tu dirección de correo electrónico, nos comunicaremos contigo todos los meses a fin de conectarte con otros miles de buscadores de Dios que oran.

Iglesia compañera: Iglesias de todo el mundo nos ayudan a traer el avivamiento a nuestra tierra. Las iglesias que apoyan este ministerio cada mes con su ofrenda de cien dólares o más recibirán una colección completa de vídeos para su iglesia. También recibirán boletines mensuales y casetes de enseñanza si así lo piden. ¡Comunícate con nosotros para hacerlo!

¿Correrías con nosotros todos los meses?

En la búsqueda,

Tommy Tenney

Tommy Tenney

Conviértete en un Compañero de Avivamiento mensual llamándonos o escribiendo a:

Tommy Tenney/GodChasers.network
Post Office Box 3355
Pineville, Louisiana 71361-3355
318.44CHASE (318.442.4273)
o visita www.godchasers.net

- ➢ PREPARAMOS
- ➢ EQUIPAMOS
- ➢ TUTELAMOS
- ➢ PROMOVEMOS

Únete al Programa de Enseñanza de los GodChasers hoy...
¡y comienza a cambiar tu futuro!

El Programa GODCHASERS.NETWORK INTERNS tiene una duración de nueve meses e intensificará tu hambre en la búsqueda de la presencia de Dios y en el deseo de fomentar la unidad en el cuerpo de Cristo. También se encuentra disponible un campamento de preparación intensiva de verano (ocho semanas).

Te dará la oportunidad de experimentar y de prepararte en las operaciones diarias de este impactante ministerio mundial. Esta experiencia te ayudará a cultivar un carácter piadoso e íntegro mientras trabajas en la viña del Señor.

Para más detalles llama a:
1-888-433-3355 / 1-318-442-4273,
o visita www.godchasers.net